D1415868

mi Mundo TEXAS

Estudios Sociales™

Conozcamos personas y lugares

PEARSON

Boston, Massachusetts
Chandler, Arizona
Glenview, Illinois
New York, New York

¡Esta también es mi historia!

Tú eres uno de los autores de este libro. ¡Puedes escribir en este libro! ¡Puedes tomar notas en este libro! ¡También puedes dibujar en él! Este libro es para que tú lo guardes.

Escribe tu nombre, el nombre de tu escuela y tu ciudad o pueblo abajo. Luego escribe algo acerca de ti.

Nombre

Escuela

Ciudad o pueblo

Acerca de mí

Cubierta:

Arriba: I: Estatua de Sam Houston; **D:** El Faro en el Parque Estatal Cañón de Palo Duro; **Centro: I:** Niños de todo el mundo; **C:** Lupino; **D:** Telescopio Hobby-Eberly del Observatorio McDonald, Fort Davis; **Abajo:** Paseo marítimo Kemah, Bahía de Galveston

Contracubierta:

Arriba: Niños exhibiendo banderas; **Segunda hilera:** Silueta de Houston; **Tercera hilera: I:** Policías en Dallas; **D:** Rancho ganadero de Texas; **Abajo:** Niños exploradores con banderas de los Estados Unidos y Texas en la escuela Walker Creek, North Richland Hills

Credits appear on pages **R33–R34**, which constitute an extension of this copyright page.

Copyright © 2016 Pearson Education, Inc., or its affiliates. All Rights Reserved. Printed in the United States of America. This publication is protected by copyright, and permission should be obtained from the publisher prior to any prohibited reproduction, storage in a retrieval system, or transmission in any form or by any means, electronic, mechanical, photocopying, recording, or otherwise. For information regarding permissions, request forms, and the appropriate contacts within the Pearson Education Global Rights & Permissions department, please visit www.pearsoned.com/permissions/.

PEARSON, ALWAYS LEARNING, SIEMPRE APRENDIENDO, and myWORLD SOCIAL STUDIES and miMUNDO ESTUDIOS SOCIALES are exclusive trademarks owned by Pearson Education, Inc. or its affiliates in the U.S. and/or other countries.

Softcover: ISBN-13: 978-0-328-81356-8
ISBN-10: 0-328-81356-7
9 17

Hardcover: ISBN-13: 978-0-328-84911-6
ISBN-10: 0-328-84911-1
4 15

Hecho para Texas

Pearson *Texas myWorld Social Studies* was developed especially for Texas with the help of teachers from across the state and covers 100 percent of the Texas Essential Knowledge and Skills for Social Studies. This story began with a series of teacher roundtables in cities across the state of Texas that inspired a program blueprint for *Texas myWorld Social Studies*. In addition, Judy Brodigan served as our expert advisor, guiding our creation of a dynamic Social Studies curriculum for TEKS mastery. Once this blueprint was finalized, a dedicated team—made up of Pearson authors, content experts, and social studies teachers from Texas—worked to bring our collective vision into reality.

Pearson would like to extend a special thank you to all of the teachers who helped guide the development of this program. We gratefully acknowledge your efforts to realize the possibilities of elementary Social Studies teaching and learning. Together, we will prepare Texas students for their future roles in college, careers, and as active citizens.

Autores asesores del programa

The Colonial Williamsburg Foundation
Williamsburg VA

Armando Cantú Alonzo
Associate Professor of History
Texas A&M University
College Station TX

Dr. Linda Bennett
Associate Professor, Department of
Learning, Teaching, & Curriculum
College of Education
University of Missouri
Columbia MO

Dr. James B. Kracht
Byrne Chair for Student Success
Executive Associate Dean
College of Education and Human
Development
College of Education
Texas A&M University
College Station TX

Dr. William E. White
Vice President for Productions,
Publications and Learning
Ventures
The Colonial Williamsburg
Foundation
Williamsburg VA

Asesores y revisores

Asesores académicos

Kathy Glass
Author, *Lesson Design for
Differentiated Instruction*
President, Glass Educational
Consulting
Woodside CA

Roberta Logan
African Studies Specialist
Retired, Boston Public Schools/
Mission Hill School
Boston MA

Jeanette Menendez
Reading Coach
Doral Academy Elementary
Miami FL

Bob Sandman
Adjunct Assistant Professor of
Business and Economics
Wilmington College—Cincinnati
Branches
Blue Ash OH

Asesora del programa

Judy Brodigan
Former President, Texas Council
for Social Studies
Grapevine TX

Costa Nacional Isla del Padre

RELACIONAR

Domina los TEKS con una conexión personal.

miHistoria: ¡Despeguemos!

Las actividades de escritura de **myStory Book** comienzan con la actividad **miHistoria: ¡Despeguemos!** Allí puedes anotar tus ideas iniciales sobre la **Pregunta principal**.

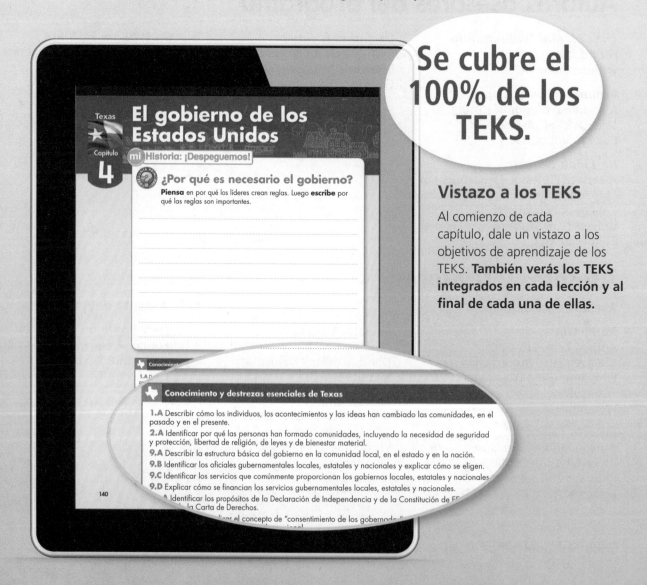

Texas

Capítulo 4

El gobierno de los Estados Unidos

mi Historia: ¡Despeguemos!

¿Por qué es necesario el gobierno?

Piensa en por qué los líderes crean reglas. Luego **escribe** por qué las reglas son importantes.

140

Se cubre el 100% de los TEKS.

Vistazo a los TEKS

Al comienzo de cada capítulo, dale un vistazo a los objetivos de aprendizaje de los TEKS. **También verás los TEKS integrados en cada lección y al final de cada una de ellas.**

Conocimiento y destrezas esenciales de Texas

1.A Describir cómo los individuos, los acontecimientos y las ideas han cambiado las comunidades, en el pasado y en el presente.

2.A Identificar por qué las personas han formado comunidades, incluyendo la necesidad de seguridad y protección, libertad de religión, de leyes y de bienestar material.

9.A Describir la estructura básica del gobierno en la comunidad local, en el estado y en la nación.

9.B Identificar los oficiales gubernamentales locales, estatales y nacionales y explicar cómo se eligen.

9.C Identificar los servicios que comúnmente proporcionan los gobiernos locales, estatales y nacionales.

9.D Explicar cómo se financian los servicios gubernamentales locales, estatales y nacionales.

A Identificar los propósitos de la Declaración de Independencia y de la Constitución de EE. la Carta de Derechos.

el concepto de "consentimiento de los gobernados"

La Misión San Luis
Una comunidad multicultural

Lección 1	Los primeros pobladores de Norteamérica
Lección 2	Los primeros exploradores
Lección 3	Las primeras comunidades españolas
Lección 4	Las primeras comunidades francesas
Lección 5	Las primeras comunidades inglesas
Lección 6	La formación de una nueva nación

mi Historia: Video

Aproximadamente entre 1560 y 1690, se construyeron más de 100 misiones españolas en toda la Florida. Una misión es un asentamiento donde hay una iglesia en la que se enseña religión. Una de las misiones más famosas es la Misión San Luis. Esta misión, ubicada en Tallahassee, es una de las últimas que quedan en pie en la actualidad. "También es el único lugar donde los apalaches y los españoles vivieron juntos", nos cuenta Grace. Los apalaches son indígenas norteamericanos, y los españoles son pobladores que llegaron desde España. "Me encanta aprender sobre otras culturas", añade Grace. Ya nadie vive en la misión, pero la han reconstruido. Los visitantes pueden recorrerla y ver representaciones de cómo era la vida allí hace siglos.

"Los indígenas y los españoles compartían esta misión", explica Grace. En esa época, los indígenas y los colonos europeos no solían vivir juntos. La Misión San Luis era especial.

A Grace le encantó visitar una de las últimas misiones que quedan en pie.

91

miHistoria: Video

Pasa del *Libro de trabajo del estudiante* a la tecnología, ¡con toda facilidad! Mira los videos de *miHistoria: Video* para explorar la **Pregunta principal** y las ideas claves del capítulo.

Misión San Luis

Acceso a los TEKS

El programa *miMundo Estudios Sociales* para Texas cubre los TEKS en todos los formatos. Accede al contenido a través de la versión impresa del *Libro de trabajo,* a través del *eText*, o en línea con el curso digital en Realize.

PEARSON realize. Conéctate en línea a: www.PearsonTexas.com

Cada lección está respaldada por actividades digitales, miHistoria: Videos y actividades de vocabulario.

EXPERIMENTAR

Disfruta de los Estudios Sociales mientras practicas los TEKS.

Libro de trabajo interactivo del estudiante

Con el *Libro de trabajo del estudiante* **miMundo Estudios Sociales** para Texas, te encantará tomar notas, dibujar, subrayar y encerrar en un círculo texto o imágenes en tu propio libro.

Texas

Lección 1

Los primeros pobladores de Norteamérica

¡Imagínalo!

Mira la fotografía. Escribe qué recurso natural se usó para construir estas viviendas.

Todas las comunidades tienen una historia moldeada por los primeros habitantes del lugar. Tu comunidad es especial tanto por su pasado como por su presente.

Grupos culturales

Los indígenas norteamericanos fueron los primeros pobladores de América del Norte, o Norteamérica. Había muchos grupos de indígenas distintos, y cada uno tenía su propia cultura y sus **costumbres**, es decir, su forma particular de hacer las cosas.

En el mapa se muestran las regiones de América del Norte donde vivían los indígenas. Cada grupo usaba los recursos naturales de su región para satisfacer sus necesidades. Los indígenas que vivían en la región del Pacífico Noroeste pescaban en el océano Pacífico. Los que vivían en las llanuras aprovechaban el suelo fértil para la agricultura.

Grupos de indígenas norteamericanos

LEYENDA
— Límite actual

ÁRTICO
SUBÁRTICO
PACÍFICO NOROESTE
MESETA
OCÉANO PACÍFICO
GRAN CUENCA
LLANURAS
ZONA BOSCOSA DEL NORESTE
CALIFORNIA
ZONA BOSCOSA DEL SURESTE
OCÉANO ATLÁNTICO
SUROESTE
Golfo de México

0   1,000 millas
0   1,000 km

N

1. **Identifica** y subraya dos maneras en que norteamericanos usaban los recursos na

94

Aprenderé cómo influye la geografía en las comunidades y cómo se relacionan el pasado y el presente.

Vocabulario

costumbre   reserva
vivienda   gobierno
comunal   tradición
confederación
cooperar

Los cheroquíes del Sureste

Hace mucho tiempo, un grupo de indígenas norteamericanos llamados cheroquíes se asentaron en los bosques del sureste de los Estados Unidos. Los cheroquíes escogieron esta región por las características de su geografía: suelo fértil, ríos y árboles.

Los cheroquíes se establecieron por primera vez en América del Norte hace más de 1,000 años. Eran cazadores y agricultores. Comían carne, frutas y verduras. Usaban árboles para construir sus viviendas. Hacían estructuras de madera y las cubrían con lodo de las riberas cercanas. Con el tiempo, los cheroquíes empezaron a construir cabañas de troncos, que los protegían de la nieve y el frío del invierno.

Un cheroquí famoso llamado Sequoyah inventó un sistema de 86 símbolos para escribir en su lengua. Desde entonces es posible leer y escribir en cheroquí.

TEKS
1.A, 1.B, 2.A, 2.B, 2.C, 3.A, 4.B, 15.A, 15.B, 17.B

2. ⊙ **Idea principal y detalles. Describe** cómo

un sistema de 86 símbolos para escribir en su lengua. Desde entonces es posible leer y escribir en cheroquí.

2. ⊙ **Idea principal y detalles Describe** cómo los cheroquíes crearon una nueva comunidad.

Destrezas clave de lectura

El *Libro de trabajo* te permite practicar las **Destrezas clave de lectura**, destrezas esenciales que necesitarás al leer textos informativos. Refuerza tus TEKS de Artes del lenguaje en español (SLA) durante el período de Estudios Sociales.

PEARSON realize Conéctate en línea a: www.PearsonTexas.com | Cada lección está respaldada por actividades digitales, miHistoria: Videos y actividades de vocabulario.

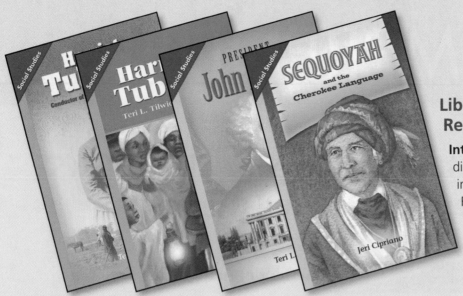

Libritos por nivel/Leveled Readers

Interesantes libritos por nivel están disponibles en inglés, en formato impreso y en formato digital en Realize.

Actividades digitales

Cada lección incluye **Actividades digitales** que apoyan la Idea principal.

COMPRENDER

Verifica tus conocimientos de los TEKS y demuestra tu comprensión.

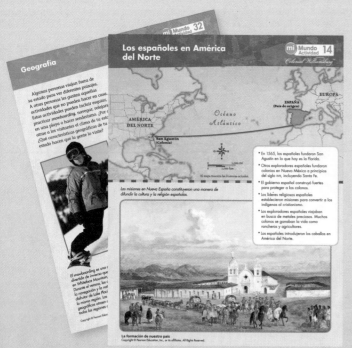

miMundo: Actividades

Trabaja en grupos pequeños con tus compañeros en actividades como crear mapas, gráficas, dramatizaciones, leer en voz alta y analizar fuentes primarias. En Realize puedes hallar versiones digitales de actividades prácticas e innovadoras para cada capítulo.

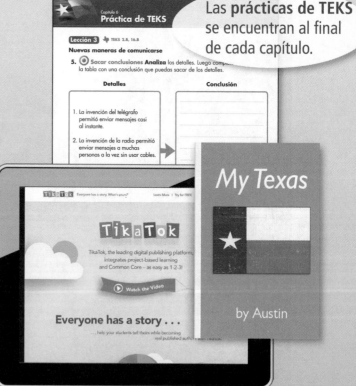

Las **prácticas de TEKS** se encuentran al final de cada capítulo.

myStory Book

myStory Book te da la oportunidad de escribir e ilustrar tu propio libro digital. Visita **www.Tikatok.com/ myWorldSocialStudies** para más información.

 **PEARSON** **realize** Conéctate en línea a: www.PearsonTexas.com

Cada lección está respaldada por actividades digitales, miHistoria: Videos y actividades de vocabulario.

Texas

Celebremos Texas y la nación

PEARSON realize Conéctate en línea a:
www.PearsonTexas.com

Celebremos Texas y la nación también se encuentra en el *eText* interactivo.

Mi comunidad, mi país

PEARSON
realize™ Conéctate en línea a
www.PearsonTexas.com

▶ *eText* interactivo
▶ miHistoria: Video
  ¿Cómo coopera mejor la gente?
▶ Canción
  Letra y música
▶ Vistazo al vocabulario
▶ Repaso del vocabulario
▶ Exámenes del capítulo

? ¿Cómo coopera mejor la gente?

Satisfacer nuestras necesidades

PEARSON realize Conéctate en línea a
www.PearsonTexas.com

- ► *eText* interactivo

- ► miHistoria: Video
  ¿Cómo obtienen las personas lo que
  necesitan?

- ► Canción
  Letra y música

- ► Vistazo al vocabulario

- ► Repaso del vocabulario

- ► Exámenes del capítulo

Texas

★

Capítulo

3

PEARSON realize Conéctate en línea a
www.PearsonTexas.com

- ⏵ *eText* interactivo
- ⏵ miHistoria: Video
  ¿Cómo es el mundo?
- ⏵ Canción
  Letra y música
- ⏵ Vistazo al vocabulario
- ⏵ Repaso del vocabulario
- ⏵ Exámenes del capítulo

El mundo que nos rodea

Texts

Capítulo

4

La celebración de nuestras tradiciones

PEARSON realize Conéctate en línea a
www.PearsonTexas.com

- ▶ *eText* interactivo
- ▶ miHistoria: Video
    ¿Cómo se comparte la cultura?
- ▶ Canción
    Letra y música
- ▶ Vistazo al vocabulario
- ▶ Repaso del vocabulario
- ▶ Exámenes del capítulo

Texas

Capítulo

5

Nuestra nación: Pasado y presente

¿Cómo cambia la vida a lo largo de la historia?

PEARSON realize Conéctate en línea a www.PearsonTexas.com

▶ *eText* interactivo

▶ **miHistoria: Video**
¿Cómo cambia la vida a lo largo de la historia?

▶ **Canción**
Letra y música

▶ **Vistazo al vocabulario**

▶ **Repaso del vocabulario**

▶ **Exámenes del capítulo**

El proceso de la escritura

Los buenos escritores siguen pasos cuando escriben. ¡Estos cinco pasos te ayudarán a ser un buen escritor!

Prepararse	Planifica tu escrito.
Borrador	Escribe tu primer borrador.
Revisar	Mejora tu escrito.
Corregir	Corrige tu escrito.
Presentar	Presenta tu escrito a tus compañeros.

Aprendizaje del siglo XXI
Tutor en línea

Conéctate en línea a www.PearsonTexas.com para practicar las siguientes destrezas. Estas destrezas serán importantes a lo largo de tu vida. Después de completar cada tutoría de destrezas en línea, márcalas en tu Libro de trabajo.

Destrezas clave de lectura

- [ ] Idea principal y detalles
- [ ] Causa y efecto
- [ ] Clasificar y categorizar
- [ ] Hechos y opiniones
- [ ] Sacar conclusiones
- [ ] Generalizar
- [ ] Comparar y contrastar
- [ ] Secuencia
- [ ] Resumir

Destrezas de colaboración y creatividad

- [ ] Resolver problemas
- [ ] Trabajar en equipo
- [ ] Resolver conflictos
- [ ] Generar nuevas ideas

Destrezas de gráficas

- [ ] Interpretar gráficas
- [ ] Crear tablas
- [ ] Interpretar líneas cronológicas

Destrezas de mapas

- [ ] Usar longitud y latitud
- [ ] Interpretar mapas físicos
- [ ] Interpretar datos económicos en mapas
- [ ] Interpretar datos culturales en mapas

Destrezas de razonamiento crítico

- [ ] Comparar puntos de vista
- [ ] Usar fuentes primarias y secundarias
- [ ] Identificar la parcialidad
- [ ] Tomar decisiones
- [ ] Predecir consecuencias

Destrezas de medios y tecnología

- [ ] Hacer una investigación
- [ ] Uso seguro de Internet
- [ ] Analizar imágenes
- [ ] Evaluar el contenido de los medios de comunicación
- [ ] Hacer una presentación eficaz

Otro símbolo de Texas es el Juramento a la bandera de Texas. Cuando decimos las palabras del juramento, estamos siendo patrióticos.

Honor the Texas flag;
I pledge allegiance to thee,
Texas, one state under God,
one and indivisible.

Honra a la bandera de Texas;
te juro lealtad, Texas,
un estado bajo Dios,
uno e indivisible.

Texas también tiene un árbol estatal. Un exgobernador de Texas quiso que se plantara un nogal en su memoria. Quería que se plantaran las nueces de ese árbol para convertir Texas en una "tierra de árboles". El nogal se declaró árbol estatal en 1919.

7. **Recita** el Juramento a la bandera de Texas.

Monumentos y sitios de interés

Un **sitio de interés,** o punto histórico, es un lugar importante. Los **monumentos** honran a personas, acontecimientos o ideas importantes.

El Álamo se usó como fuerte durante la lucha de Texas para independizarse de México. El Álamo todavía existe y es un monumento dedicado a los héroes de la revolución.

El Monumento al Tejano, en el Capitolio de Austin, honra el papel de los tejanos en la historia de Texas. Un tejano es un habitante de Texas de origen mexicano.

8. Escoge tu monumento o sitio de interés favorito. En una hoja aparte, **explica** por qué es importante.

⬥ TEKS 1.B

Vocabulario

sitio de interés

monumento

El Álamo

Monumento al Tejano

8

El Capitolio Estatal de Texas, ubicado en el centro de la ciudad de Austin, es el edificio donde se reúne y trabaja el gobierno de nuestro estado. También es un importante sitio de interés, o punto histórico, de Texas. Es el capitolio más grande del país. Cuando se construyó, ¡era el séptimo edificio más grande del mundo!

El Monumento Conmemorativo a la Segunda Guerra Mundial está en Washington, D.C. Honra a los hombres y las mujeres que lucharon y murieron en la Segunda Guerra Mundial por la libertad de nuestro país. El monumento tiene pilares, o columnas, que representan a cada estado.

Explica por qué el Capitolio Estatal de Texas es importante.

_____

_____

_____

_____

Texas en mapas y globos terráqueos

Los **mapas** muestran información sobre un área. Pueden mostrar la **costa,** o el lugar donde se juntan la tierra y el agua.

Mira el título del mapa en la parte superior del mapa. El título dice qué muestra el mapa. Puedes usar la leyenda como ayuda para hallar lugares en el mapa.

TEKS 6.B

Vocabulario

mapa

costa

globo terráqueo

10. **Marca** con una X el lugar donde vives.

11. **Encierra** en un círculo la capital de Texas.

12. **Subraya** los nombres de otras cuatro ciudades.

13. **Traza** la costa de Texas con un lápiz.

Texas, mapa político

0 — 200 mi
0 — 200 km

Amarillo

Oklahoma

Nuevo México

Lubbock

Plano Garland

Irving

Dallas

Abilene Ft. Worth Arlington

Waco

Austin ★ Houston

Beaumont

MÉXICO

San Antonio Pasadena

Laredo Corpus Christi

Brownsville

Golfo de México

Arkansas

Luisiana

Leyenda

★ Capital del estado

• Ciudad

10

Un **globo terráqueo** es un modelo de la Tierra.
Un modelo es una copia pequeña de algo. Al
igual que nuestro planeta, un globo terráqueo es
redondo. Como los mapas, también muestra agua,
tierra, países, estados y ciudades. Tal vez tengas
un globo terráqueo en tu salón de clase.

Mira la ilustración del globo
terráqueo. Se ve una de las
mitades de la Tierra.
Ahora mira Texas en el
globo terráqueo. Como
los mapas, muchos
globos terráqueos tienen
una leyenda. Puedes usar
la leyenda para hallar
ciudades y la capital.

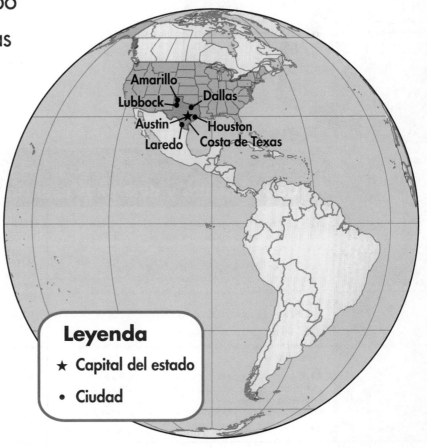

Amarillo
Lubbock
Dallas
Austin
Houston
Laredo
Costa de Texas

Leyenda
★ Capital del estado
• Ciudad

14. **Halla** un globo terráqueo en tu escuela, la
biblioteca o tu hogar. Úsalo para ubicar estos
cinco lugares: Texas, tu comunidad, Houston,
la capital de Texas y la costa de Texas.

Mi comunidad, mi país

 mi Historia: ¡Despeguemos!

? PREGUNTA PRINCIPAL ¿Cómo coopera mejor la gente?

mi Historia: Video

Haz un dibujo que muestre cómo tú y tus compañeros de clase cooperan para hacer una tarea.

★ Conocimiento y destrezas esenciales de Texas

1.B Identificar y explicar la significancia de varios puntos históricos de la comunidad, del estado y de la nación tales como monumentos y edificios de gobierno.

6.B Ubicar lugares significativos, incluyendo la comunidad local, Texas, la capital del estado, la capital de los Estados Unidos, las ciudades más importantes de Texas, la costa de Texas, Canadá, México y los Estados Unidos en mapas y globos terráqueos.

11.A Identificar las funciones de un gobierno tales como establecer el orden, proporcionar seguridad y manejar los conflictos.

11.B Identificar los servicios gubernamentales en la comunidad, tales como la protección policiaca y de bomberos, biblioteca, escuelas y parques, y explicar el valor que estos servicios proporcionan a la comunidad.

11.C Describir cómo los gobiernos usan los impuestos de los ciudadanos para pagar por los servicios.

12.A Nombrar los oficiales públicos actuales, incluyendo al alcalde, al gobernador y al presidente.

12.B Comparar las funciones de los oficiales públicos, incluyendo al alcalde, al gobernador y al presidente.

12.C Identificar cómo se elige a los oficiales públicos, incluyendo elección y nominación al cargo.

12.D Identificar cómo los ciudadanos participan en su propio gobierno, manteniéndose informados de las funciones de los oficiales públicos, dándoles su opinión y participando como voluntarios en asuntos de gobierno.

13.A Identificar características de lo que significa ser un buen ciudadano, lo que incluye la veracidad, la justicia, la igualdad, el respeto por uno mismo y por los demás, la responsabilidad en el diario vivir y la participación en el gobierno, manteniéndose informado sobre los asuntos gubernamentales, respetuosamente siguiendo las disposiciones de los oficiales públicos y votando.

13.D Identificar maneras de practicar la buena ciudadanía, incluyendo la participación en el servicio a la comunidad.

14.A Recitar el Juramento a la bandera de los Estados Unidos y el Juramento a la bandera de Texas.

14.B Identificar una selección de canciones patrióticas, incluyendo "The Star Spangled Banner" y "America the Beautiful".

14.C Identificar una selección de símbolos tales como aves y flores estatales y nacionales, y símbolos patrióticos como las banderas de Texas y de los Estados Unidos y el Tío Sam.

14.D Identificar cómo algunas costumbres, símbolos y celebraciones reflejan el amor que tienen los estadounidenses al individualismo, la inventiva y la libertad.

18.A Obtener información sobre algún tópico utilizando una variedad de fuentes auditivas tales como conversaciones, entrevistas y música.

18.E Interpretar material oral, visual e impreso para identificar la idea principal, predecir y comparar y contrastar.

20.A Usar un proceso de solución de problemas para identificar un problema, reunir información, hacer una lista y considerar opciones, considerar las ventajas y desventajas, elegir e implementar una solución y evaluar la efectividad de la solución.

 Empecemos con una canción

El pueblo cuenta

Canta con la melodía de "Naranja dulce".

Tienen derecho
los ciudadanos
a elegir
entre candidatos.

Y esas personas
nos representan.
En el gobierno
el pueblo cuenta.

PEARSON
realize™   Conéctate en línea a tu lección digital interactiva.

Vistazo al vocabulario

ciudadano

respeto

responsable

gobierno

derechos

SALÓN DE LOS PRESIDENTES

VALLEY FORGE

Congreso

TIENDA DE REGALOS

Declaración
Derechos

CORTE SUPREMA

ELEVADOR

ley

corte

Congreso

símbolo

independencia

15

Somos buenos ciudadanos

¡Imagínalo!

Encierra en un círculo ejemplos de las personas que están cuidando las cosas que las rodean.

TEKS
13.A, 13.D

Una **comunidad** es un lugar donde las personas trabajan, viven o juegan juntas. Tu escuela es un tipo de comunidad. Un **ciudadano** es un miembro de una comunidad, un estado y un país (o nación).

Maneras de ser un buen ciudadano

Los buenos ciudadanos se preocupan por sí mismos y por los demás. Se escuchan unos a otros. También se ayudan unos a otros. Un buen ciudadano muestra **respeto,** o consideración, por las otras personas. Cuando somos justos y honestos con los demás, somos buenos ciudadanos.

1. **Describe** a los buenos ciudadanos.

Los buenos ciudadanos son <u>Ayudan</u>

<u>a personas.</u>

Respetamos a los demás cuando compartimos.

16

Aprenderé maneras de ser un buen ciudadano.

Vocabulario
. . . .
comunidad

ciudadano

respeto

responsable

Buenos ciudadanos en la escuela

Hay muchas maneras de ser un buen ciudadano en la escuela. Puedes escuchar las ideas de las otras personas. Así demuestras respeto hacia ellas. Puedes comentar tus propias ideas. También puedes ayudar a limpiar y cuidar los materiales de la escuela.

También puedes ser un buen ciudadano en el patio de recreo. Asegúrate de esperar tu turno y ser justo cuando juegas. Recuerda seguir las reglas y decir la verdad. Las reglas nos dicen lo que debemos hacer y lo que no debemos hacer.

2. ⊙ **Idea principal y detalles**
Subraya dos maneras en las que puedes ser un buen ciudadano en la escuela.

Los buenos ciudadanos son justos y esperan su turno.

PEARSON
realize.™
Conéctate en línea a tu lección digital interactiva.

17

Los ciudadanos de la comunidad

Tú eres un ciudadano de tu comunidad. Las comunidades pueden tener diferentes tamaños. Un pueblo es una comunidad pequeña. Una ciudad es una comunidad grande.

Existen muchas maneras en las que tú y tu familia pueden ayudar en tu comunidad. Puedes ayudar a plantar árboles en un parque. Puedes ayudar a limpiar un patio de recreo.

Las personas que viven cerca de tu hogar forman parte de tu vecindario. Se llaman vecinos. Puedes ayudar a hacer que tu vecindario sea un lugar agradable para vivir. Puedes recoger la basura. Puedes ayudar a un vecino a rastrillar las hojas secas. Puedes saludar y conversar con la gente que conoces.

Un mural, o un muro pintado, puede hacer que una comunidad se vea más bonita.

Es importante ser un ciudadano responsable. Ser **responsable** quiere decir cuidar las cosas importantes. Cuando limpias tu habitación, eres responsable en tu hogar. Cuando ayudas a limpiar un parque, eres responsable en tu comunidad.

3. **Haz un dibujo** que muestre cómo puedes ayudar en tu comunidad.

¿Entiendes?

TEKS 13.A

4.  **Sacar conclusiones** ¿Por qué es importante ser un buen ciudadano?

_____

_ _

_____

5. **Escribe** algo que tú y tus compañeros de clase pueden hacer para ser ciudadanos responsables.

mi Historia: Ideas

_____

_ _

_____

_____

6. **Identifica** las características de un buen ciudadano.

_____

_ _

_____

PEARSON realize Conéctate en línea a tu lección digital interactiva.

19

Colaboración y creatividad

Tomar la iniciativa

Los buenos ciudadanos ayudan a resolver los problemas de su comunidad. Descubren cuáles son los problemas. Luego toman la iniciativa para resolver el problema.

Los niños de abajo tienen un problema. En su escuela no hay aparcabicicletas. Aquí están los pasos que siguieron para resolver el problema.

1. Los niños van a la escuela en bicicleta. Allí no hay un lugar para dejar las bicicletas.

2. Los niños comentan opciones con la directora. Deciden que una venta de pasteles puede servir para recaudar dinero.

3. En la venta de pasteles, los niños recaudan suficiente dinero para comprar los aparcabicicletas.

4. Ahora los niños pueden dejar las bicicletas en la escuela. La solución funcionó.

TEKS

ES 20.A Usar un proceso de solución de problemas para identificar un problema, reunir información y elegir e implementar una solución.

SLA 15.B Utilizar elementos gráficos comunes para facilitar la interpretación de un texto.

¡Inténtalo!

1. **Mira** las ilustraciones. **Escribe** cómo los niños resolvieron el problema.

_____

_____

_____

_____

2. **Haz un dibujo** en el que los ciudadanos de tu comunidad toman la iniciativa para resolver un problema.

 PEARSON realize. Conéctate en línea a tu lección digital interactiva.

21

Nuestros derechos como ciudadanos

¡Imagínalo!

Mira las fotos.

TEKS
11.A, 12.D, 13.A, 13.D, 18.E

Nuestro país se llama Estados Unidos de América. Las personas que nacen aquí son ciudadanos de los Estados Unidos. Las personas que no nacen aquí pueden solicitar hacerse ciudadanos y hacer un juramento de lealtad.

Nuestro gobierno

Hace mucho tiempo, los líderes de nuestra nación escribieron un plan para nuestro país. Este plan es la Constitución de los Estados Unidos. La Constitución nos dice cómo debe ser nuestro gobierno. Un **gobierno** es un grupo de personas que trabajan juntas para dirigir una ciudad, un estado o un país (o nación). La Constitución nos dice cómo crear leyes que nos permitan estar a salvo y llevarnos bien.

1. ◉ **Idea principal Subraya** dos razones por las cuales la Constitución es importante para los ciudadanos de los Estados Unidos.

Estas personas se están haciendo ciudadanos de los Estados Unidos de América.

22

Di qué ocurre en cada foto.

DESCIFRA LA
PREGUNTA PRINCIPAL
?

Aprenderé los derechos que tienen los ciudadanos estadounidenses.

Vocabulario

gobierno   votar

derechos   libertad

Nuestros derechos fundamentales

Todos los ciudadanos de los Estados Unidos tienen derechos que son iguales, o los mismos. Los **derechos** son las cosas que podemos hacer libremente. El gobierno no puede quitar esos derechos.

Como los ciudadanos tienen los mismos derechos, deben ser tratados de la misma manera. Las reglas y las leyes de nuestro país son las mismas para todos. Eso se llama igualdad.

Los ciudadanos tienen derecho a votar. **Votar** quiere decir elegir algo. En los Estados Unidos, los ciudadanos votan para elegir a sus líderes.

2. **Escribe** un derecho que tienen los ciudadanos de nuestro país.

_____

_____

_____

_____

Los ciudadanos votan para elegir a sus líderes.

PEARSON
realize.™   Conéctate en línea a tu lección digital interactiva.

23

La Carta de Derechos

La Constitución hace más que decirnos cómo debe ser nuestro gobierno. También nos dice los derechos que comparten todos los ciudadanos de los Estados Unidos. Diez de estos derechos están enumerados en una parte de la Constitución que se llama Carta de Derechos. La Carta de Derechos protege nuestra libertad. La **libertad** es el derecho a escoger lo que hacemos y lo que decimos.

La Carta de Derechos dice que los ciudadanos de los Estados Unidos somos libres de decir y escribir lo que queremos, siempre que no hagamos daño a los demás. También dice que podemos escoger nuestra propia religión. Somos libres de encontrarnos con otras personas en lugares públicos. Somos libres de decir lo que pensamos cuando no estamos de acuerdo con nuestro gobierno. Podemos pedir a nuestro gobierno que cambie las cosas que pensamos que no están bien.

3. **Identifica** y encierra en un círculo los derechos que ves en esta ilustración.

Participar en el gobierno

Los ciudadanos pueden participar, o formar parte, del gobierno de muchas maneras. Votar es una de ellas. Debes tener al menos 18 años de edad para votar. También debes ser ciudadano de los Estados Unidos.

Existen otras maneras de participar en el gobierno. Puedes leer y aprender sobre los problemas que son importantes. Un problema podría ser la decisión de comprar más libros y computadoras para tu escuela. Otro podría ser cómo hacer que el agua que bebes sea más segura.

Puedes escuchar o leer sobre cómo los funcionarios u oficiales públicos se ocupan de esos problemas. Puedes hacerles saber qué piensas sobre los problemas. Puedes dar tu opinión.

4. **Escribe** sobre un problema de tu comunidad o tu escuela que es importante para ti.

_____

_____

_____

_____

_____

_____

_____

Quizá pienses que es importante limpiar un parque de la comunidad. ¿Qué puedes hacer para participar? Puedes escribir a los funcionarios públicos de tu comunidad. Puedes contarles sobre el parque.

Puedes actuar como voluntario para ayudar a limpiar el parque. Cuando eres voluntario, ayudas a hacer algo pero no recibes dinero por tu trabajo. El trabajo voluntario para ayudar a tu comunidad se llama servicio a la comunidad.

Si los funcionarios públicos se comprometen a ayudar con la limpieza del parque, puedes asegurarte de que lo hagan. Puedes comprobar que cumplan su promesa. Es importante hacerlo respetuosamente, o amablemente.

5. **Escribe** maneras en que los ciudadanos pueden participar en el gobierno.

¿Entiendes?

TEKS 13.A, 18.E

6. **Idea principal y detalles** ¿Qué es la Carta de Derechos?

7. ¿Qué derecho es el más importante para ti? **Escribe** una razón para apoyar tu opción.

mi Historia: Ideas

8. ¿Qué es la igualdad?

PEARSON realize. Conéctate en línea a tu lección digital interactiva.

Seguimos las reglas y las leyes

¡Imagínalo!

STOP

RECYCLE

Mira las fotos. La primera quiere decir "Alto" y la segunda quiere decir "Reciclar".

TEKS
11.A

Piensa en un salón de clase en el que todos hablan al mismo tiempo. Los niños corren por el salón. Nadie se turna ni comparte nada. Ese no sería un buen lugar para aprender.

Las reglas de la escuela

Tu escuela tiene reglas para que sea un buen lugar para aprender. Las reglas nos recuerdan cómo ser buenos ciudadanos en la escuela. También nos mantienen a salvo. Las reglas nos dicen que esperemos nuestro turno para hablar y que no corramos en el pasillo. Cuando seguimos las reglas, mostramos respeto por los demás y por nosotros mismos.

1. **Escribe** una regla que sigues en la escuela.

_____

_____

_____

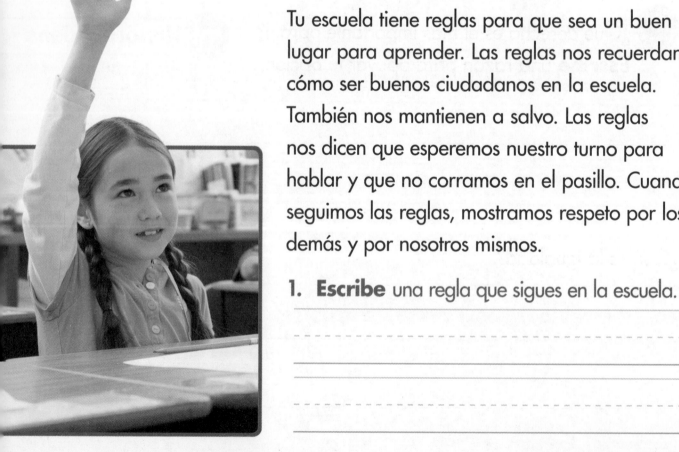

DESCIFRA LA PREGUNTA PRINCIPAL

Aprenderé por qué las leyes son importantes para la comunidad.

Vocabulario

ley

corte

consecuencia

Escribe qué te dicen estas fotos sobre algunas reglas de una comunidad.

Las leyes de la comunidad

Las reglas de una comunidad se llaman leyes. Una **ley** es una regla que todos debemos seguir. Los líderes de nuestra comunidad nos ayudan a crear las leyes. Crear las leyes es una de las funciones del gobierno.

Las leyes nos ayudan a mantenernos a salvo y seguros. Establecen el orden. Nos ayudan a poner fin a los conflictos, o los problemas. Por ley, los carros y las bicicletas deben detenerse frente a una señal de alto. Usar el cinturón de seguridad es una ley importante que existe en muchos lugares de los Estados Unidos.

Las leyes recuerdan a las personas que deben ser responsables. En muchos lugares, la ley dice que no se puede tirar basura en la calle. Esta ley sirve para mantener limpia la comunidad.

La mayoría de los estados tienen leyes que dicen que debemos usar el cinturón de seguridad.

2. ◉ **Idea principal y detalles**
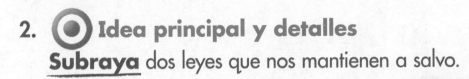
Subraya dos leyes que nos mantienen a salvo.

PEARSON realize Conéctate en línea a tu lección digital interactiva.

Por qué las leyes son importantes

Las leyes son importantes porque protegen nuestros derechos y evitan que nos hagamos daño. Cuando no se siguen las leyes, las personas pueden lastimarse.

En muchos lugares hay una ley que dice que debes usar casco cuando montas en bicicleta. Seguir esa ley sirve para mantenerte a salvo. Los conductores de carros también deben seguir leyes. Deben detenerse cuando llegan a un cruce y frente a las señales de alto.

Cuando las personas no siguen las leyes, pueden tener que ir a una corte. Una **corte** es una parte de nuestro gobierno. Las personas que trabajan en las cortes deciden si alguien violó, o no siguió, la ley.

3. **Marca** con una X las leyes que ves en esta ilustración.

Una **consecuencia** es algo que ocurre como resultado de una acción. Una persona que no sigue la ley puede perder algunos derechos. La persona quizá deba pagar una multa, o dinero, a la comunidad. Esas consecuencias nos recuerdan que los buenos ciudadanos son responsables de sus acciones y respetan los derechos de los demás.

4. ◉ **Causa y efecto** <u>Subraya</u> algo que puede ocurrir cuando las personas no siguen las leyes.

¿Entiendes?

🦫 TEKS 11.A

5. ◉ **Sacar conclusiones** ¿Por qué es importante tener leyes?

_____

_____

_____

_____

6. ❓ **Escribe** dos leyes de tu comunidad.

mi Historia: Ideas

_____

_____

_____

7. **Identifica** y escribe una función del gobierno.

_____

_____

PEARSON realize. Conéctate en línea a tu lección digital interactiva.

31

Sacar conclusiones

Los detalles nos dan información sobre algo.

Para sacar una conclusión, pensamos en detalles o hechos y luego llegamos a una decisión sobre lo que quieren decir los detalles y los hechos.

Detalle: Los niños hacen ángeles en la nieve.

Detalle: Los niños ayudan a quitar la nieve de la acera.

Conclusión: A los niños les gusta estar en la nieve.

Detalle: Los niños hacen un muñeco de nieve.

TEKS

ES 18.E Interpretar material visual e impreso para identificar la idea principal y predecir.

SLA 13 Los estudiantes analizan y sacan conclusiones sobre el propósito del autor y proporcionan evidencia del texto.

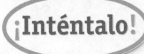

Mira las ilustraciones siguientes y **lee** los detalles.

Escribe una conclusión sobre las leyes en las líneas de abajo.

Detalle: La ley dice que debemos usar el cinturón de seguridad en el carro.

Detalle: Las personas deben usar casco cuando montan en bicicleta.

Detalle: La ley dice que los carros deben detenerse frente a las señales de alto.

Conclusión:

_____

_____

_____

_____

_____

_____

PEARSON realize. Conéctate en línea a tu lección digital interactiva.

33

Nuestro gobierno

¡Imagínalo!

Estación De Bomberos

PARQUE

Mira la ilustración.

TEKS
1.B, 11.A, 11.B, 11.C, 12.C

Un gobierno es un grupo de personas que trabajan juntas para dirigir una comunidad, un estado o un país (o nación). La Constitución dice que los ciudadanos de los Estados Unidos son responsables de su gobierno. Los ciudadanos votan para elegir a líderes que tomarán buenas decisiones, así estamos a salvo y se protegen nuestros derechos.

El gobierno de la comunidad

El gobierno de una comunidad trabaja para una ciudad o un pueblo. Se encarga de que todo funcione bien en la ciudad y de que los ciudadanos tengan los servicios que necesitan. Un **servicio** es algo que alguien hace para ti. Las escuelas, las bibliotecas, los parques y las estaciones de bomberos son importantes y valiosos para la comunidad porque proporcionan servicios. Los ciudadanos pagan **impuestos,** o dinero, al gobierno por cada uno de esos servicios.

Los parques son valiosos para la comunidad.

1. **Subraya** dos cosas que hacen los gobiernos.

Haz una ✓ en los lugares que hay en tu comunidad.

Aprenderé cómo el gobierno da a las comunidades lo que necesitan.

Vocabulario

servicio   Congreso
impuesto   Corte Suprema

El gobierno estatal

Un gobierno estatal toma decisiones que afectan a todas las comunidades de un estado. Las diferentes comunidades tienen distintas necesidades. Un pueblo pequeño podría necesitar una sola escuela. En cambio, una gran ciudad necesitaría muchas.

El gobierno de cada estado está ubicado en su capital. Los líderes del estado crean leyes y deciden qué servicios proporcionarán a sus ciudadanos. La policía es un servicio del gobierno que tienen cada ciudad y estado. La policía protege a los habitantes del estado.

2. ⊙ **Idea principal y detalles** **Identifica** y **subraya** dos servicios que proporcionan los gobiernos estatales.

Este es el capitolio de Texas en Austin, Texas.

PEARSON realize™   Conéctate en línea a tu lección digital interactiva.

35

El Congreso se reúne para votar las leyes.

El gobierno de los Estados Unidos

Nuestro gobierno tiene tres partes que se llaman poderes. Cada poder realiza una tarea diferente. El presidente es el jefe de uno de los poderes del gobierno de nuestro país. El presidente dirige el país y firma nuevas leyes.

Otro poder del gobierno es el Congreso. El **Congreso** está formado por líderes que redactan nuevas leyes y votan para aprobarlas. Los ciudadanos de cada estado votan para elegir a sus miembros del Congreso. Los miembros del Congreso trabajan en el edificio del Capitolio, ubicado en Washington, D.C.

Las cortes son otro poder del gobierno. La **Corte Suprema** es la corte más importante de nuestro país. Los nueve jueces de la Corte Suprema deciden si las leyes son justas. También se aseguran de que las leyes respeten lo que dice la Constitución.

3. **Escribe** la tarea de cada poder del gobierno.

Los poderes del gobierno	
Presidente	
Congreso	
Corte Suprema	

Sitios de interés

Las personas que trabajan en el gobierno de nuestro país son importantes. Los edificios de gobierno también son importantes. Un sitio de interés es una estructura que es importante para un lugar en particular. Por ejemplo, un sitio de interés es el Capitolio de los Estados Unidos. En Texas también hay un capitolio. Todos los estados de nuestro país tienen uno. En estos edificios, los líderes del gobierno se reúnen y trabajan.

La Casa Blanca es otro sitio de interés nacional. Es el edificio donde vive el presidente. Un barco especial también puede ser un sitio de interés. El USS *Elissa* es un sitio de interés nacional. Se encuentra en Galveston, Texas. Muchas personas llegaron a nuestro país a través del puerto de Galveston. El barco honra este lugar especial de nuestro país.

USS *Elissa*

La Casa Blanca

Monumentos

Otro tipo de estructura honra a alguien o algo importante para nuestro país. Un monumento honra a una persona o un acontecimiento. El monumento a Washington está en Washington, D.C. Honra a nuestro primer presidente, George Washington.

La Estatua de la Libertad es otro monumento nacional. Está en la bahía de Nueva York. La estatua honra la libertad de nuestro país. Francia le regaló esta estatua a los Estados Unidos.

Las personas también construyen monumentos para recordar acontecimientos. En Washington, D.C., se pueden visitar muchos de estos monumentos nacionales. Algunos honran a quienes lucharon por la libertad en las guerras. Los sitios de interés y los monumentos se pueden visitar. Nos ayudan a aprender por qué algunos lugares, personas y acontecimientos son importantes para nuestro país.

La Estatua de la Libertad

El monumento a los Caídos en la Guerra de Vietnam

4. **Explica** por qué los sitios de interés nacional y los monumentos nacionales son importantes.

_____

_____

_____

_____

_____

¿Entiendes?

TEKS 11.A, 11.B, 12.C

5. ◉ **Sacar conclusiones** ¿Por qué los ciudadanos votan y pagan impuestos?

_____

_____

_____

6. ? ¿Por qué los ciudadanos deben decir a los líderes qué servicios necesitan?

mi Historia: Ideas

_____

_____

_____

7. ¿Por qué es importante que las comunidades tengan policías?

_____

_____

Nuestros líderes

¡Imagínalo!

Encierra en un círculo el líder comunitario que muestra cada ilustración.

TEKS
6.B, 12.A, 12.B, 12.C

Los líderes del gobierno, o funcionarios públicos, trabajan para mejorar las ciudades, los estados y el país. Ayudan a crear leyes. Los buenos líderes deben ser honestos y justos.

Los líderes de la comunidad

El **alcalde** es un líder del gobierno de un pueblo o una ciudad. Los alcaldes toman decisiones y resuelven problemas. Los miembros del **concejo** son ciudadanos que trabajan con el alcalde. Algunos líderes de la comunidad son nominados. A otros los votan, o eligen, los ciudadanos.

El alcalde y el concejo crean leyes para la comunidad. Trabajan juntos para asegurarse de que cada vecindario de la comunidad tenga los servicios que necesita, como escuelas, departamentos de bomberos y agua potable.

1. **Di el nombre** del alcalde de tu comunidad.

CONCEJO MUNICIPAL

Haz un dibujo que muestre un líder de tu comunidad.

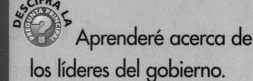
Los líderes estatales

El **gobernador** es el líder de un estado. El gobernador trabaja con otros líderes estatales. Los ciudadanos de cada estado eligen a sus líderes estatales. En algunos estados los líderes se nominan.

El gobernador y otros líderes estatales crean leyes que deben seguir todos los habitantes del estado. Deciden cómo gastar el dinero del estado. Podrían decidir inaugurar un parque estatal o construir una nueva autopista.

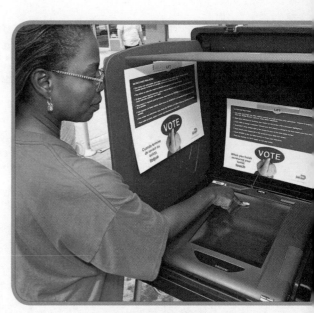

Los ciudadanos votan por el gobernador.

2. ⊙ **Idea principal y detalles** <u>Subraya</u> dos maneras de seleccionar a los líderes estatales.

3. **Di el nombre** del gobernador actual de Texas.

_____

_____

PEARSON realize. Conéctate en línea a tu lección digital interactiva.

41

El presidente de los Estados Unidos

El presidente es el líder de nuestro país. Los ciudadanos votan cada cuatro años para elegir a nuestro presidente.

El presidente trabaja en la capital de nuestro país. La capital de nuestro país es Washington, D.C. Cada estado también tiene una capital.

4. **Mira** el mapa. **Marca** con una *X* la capital de nuestro país. **(Encierra)** en un círculo Texas y su capital.

Las capitales de los Estados Unidos

 Lección 3 🔹 TEKS 11.A

3. **Mira** la ilustración. **Haz un dibujo** que muestre a una persona siguiendo una ley.

La ley dice que debemos usar cinturón de seguridad cuando andamos en carro.

4. ◎ **Sacar conclusiones** ¿Por qué quiere el gobierno que sigamos las leyes?

Lección 4 🔹 TEKS 11.B

5. **Explica** por qué las escuelas, las bibliotecas, los parques y las estaciones de bomberos son importantes para una comunidad.

Lección 5 TEKS 12.C

6. **Completa** la oración. **Encierra** en un círculo la mejor opción.

_____

Un _____ puede ser nominado o elegido.

A gobierno

B maestro

C líder del estado

D presidente

Lección 6 TEKS 13.A

7. **Haz una lista** de cuatro características de un buen ciudadano.

8. **Dibuja** un símbolo de los Estados Unidos. **Escribe** una leyenda para tu dibujo.

Conéctate en línea para escribir e ilustrar tu **myStory Book** usando **miHistoria: Ideas** de este capítulo.

PREGUNTA PRINCIPAL

¿Cómo coopera mejor la gente?

TEKS
ES 20.A
SLA 17

En este capítulo, aprendiste lo que quiere decir ser un buen ciudadano y ayudar a los demás. Aprendiste la función del gobierno y cómo el gobierno ayuda a las comunidades.

Piensa en tu comunidad. ¿Hay un problema en tu comunidad? ¿Cómo podrías resolverlo?

Haz un dibujo que muestre cómo puedes cooperar con los demás para resolver el problema. Escribe una leyenda para tu dibujo.

PEARSON
realize™ Conéctate en línea a tu lección digital interactiva.

51

Satisfacer nuestras necesidades

mi Historia: ¡Despeguemos!

PREGUNTA PRINCIPAL

¿Cómo obtienen las personas lo que necesitan?

Haz un dibujo en el que estés compartiendo una comida con tu familia o tus amigos.

mi Historia: Video

⬤ Conocimiento y destrezas esenciales de Texas

7.B Describir cómo los recursos naturales y los peligros naturales afectan las actividades y la distribución de los poblados.

9.A Explicar cómo el trabajo proporciona un salario para comprar bienes y servicios.

9.B Explicar las opciones que tiene la gente que vive en los Estados Unidos, donde hay un sistema de libre empresa, en cuanto a lo que gana, lo que gasta, lo que ahorra y dónde quiere vivir y trabajar.

10.A Distinguir entre la producción y el consumo.

10.B Identificar las maneras por las cuales la personas pueden ser tanto productores como consumidores.

10.C Examinar el desarrollo de un producto desde recurso natural hasta un producto acabado.

11.B Identificar los servicios gubernamentales en la comunidad, tales como la protección policiaca y de bomberos, biblioteca, escuelas y parques, y explicar el valor que estos servicios proporcionan a la comunidad.

11.C Describir cómo los gobiernos usan los impuestos de los ciudadanos para pagar por los servicios.

18.D Ordenar en secuencia y categorizar la información.

18.E Interpretar material oral, visual e impreso para identificar la idea principal, predecir y comparar y contrastar.

19.B Crear e interpretar materiales visuales y escritos, tales como historias, poemas y organizadores gráficos para expresar ideas.

20.B Usar un proceso de solución de problemas para identificar una situación que requiere una decisión, reunir información, generar opciones, predecir los resultados, tomar acción para implementar una decisión y reflexionar sobre la efectividad de la decisión.

 Empecemos con una canción

Los trabajos

Canta con la melodía de "La muñeca vestida de azul".

Esta mañanita

me puse a pensar,

¿a cuál de los trabajos
me iré a dedicar?

¿Cartero o maestro?
¿Bombero o doctor?

¿O haciendo ricas pizzas
feliz sería yo?

PEARSON realize · Conéctate en línea a tu lección digital interactiva.

Vistazo al vocabulario

Texas

Capítulo

2

- necesidades
- deseos
- recurso
- costo
- bienes
- productor

Identifica y **encierra** en un círculo ejemplos de estas palabras en la ilustración.

consumidor

destreza

comerciar

ahorros

pedir prestado

préstamo

Necesidades y deseos

¡Imagínalo!

Marca con una ✔ ejemplos de cosas que debes tener para vivir.

TEKS
9.A, 9.B

Todas las personas tienen necesidades y deseos. Las **necesidades** son las cosas que debemos tener para vivir. La alimentación, la ropa y una vivienda son necesidades.

Los **deseos** son las cosas que nos gustaría tener, pero que no necesitamos para vivir. ¿Cómo obtenemos las cosas que necesitamos y las que deseamos?

Obtener lo que necesitamos y lo que deseamos

Usamos recursos para obtener las cosas que necesitamos y las que deseamos. Un **recurso** es algo que podemos usar. Algunos recursos provienen de la naturaleza, como el agua y las plantas. El dinero también es un recurso. La mayoría de las personas trabajan para ganar dinero y comprar los bienes y los servicios que necesitan y que desean.

1. **Mira** la foto. **Escribe** N sobre una necesidad y D sobre un deseo.

DESCIFRA LA PREGUNTA PRINCIPAL

Aprenderé cuál es la diferencia entre las necesidades y los deseos.

Vocabulario

necesidades   escaso

deseos

recurso

Marca con una X ejemplos de cosas que te gustaría tener.

Escoger una opción

No podemos tener todo lo que queremos. Eso es porque los recursos son limitados. Por ejemplo, la cantidad de dinero que tenemos suele tener un límite. Entonces, a menudo tenemos que escoger una opción. Tenemos un sistema de libre empresa. Esto quiere decir que podemos escoger lo que compramos. También podemos escoger el lugar o el negocio donde comprar bienes o servicios.

A Carlos le gusta la música. Quiere aprender a tocar la armónica. También quiere un reproductor de MP3. Carlos tendrá que escoger entre comprar la armónica y el reproductor de MP3. No tiene suficiente dinero para comprar las dos cosas.

2. **Mira** las fotos. **Encierra** en un círculo lo que escogerías. **Explica** a un compañero por qué lo escogerías.

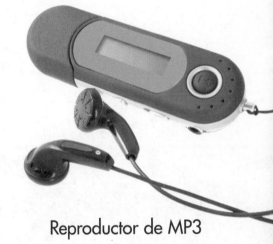

Reproductor de MP3

Armónica

Las familias escogen una opción

Las familias también tienen que escoger entre distintas cosas relacionadas con sus necesidades y deseos. A veces, un recurso puede ser escaso. **Escaso** significa que no hay suficiente cantidad de algo.

Las familias se ocupan de obtener las cosas que necesitan primero. ¿Qué tipos de alimentos son mejores para nosotros? ¿Qué ropa nos mantendrá abrigados y secos? ¿Dónde viviremos y trabajaremos? Las familias pueden escoger qué comprar, dónde vivir o dónde trabajar según sus necesidades.

Luego las familias escogen lo que desean. Si desean comprar juegos, pueden ir a una tienda y escoger entre muchos juegos diferentes.

3. ⦿ **Sacar conclusiones Escribe** una oración sobre lo que escoge la familia de la foto.

Las comunidades escogen una opción

Las personas que viven en una comunidad escogen cómo usar los recursos naturales. Las personas de esta ilustración están decidiendo cómo usar el terreno de la escuela. Tienen que escoger entre un jardín y un patio de recreo. No hay suficiente terreno para las dos cosas.

4. **Encierra** en un círculo el área de la ilustración que muestra un recurso escaso.

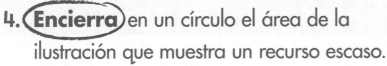

TEKS 9.A, 9.B

5. **Idea principal y detalles** ¿Qué opciones pueden escoger las familias para satisfacer sus necesidades en un sistema de libre empresa?

_____

_____

_____

6. **Escribe** dos cosas que desearías comprar.   mi Historia: Ideas

_____

_____

7. ¿Cómo obtienen las personas el dinero para comprar bienes y servicios?

_____

_____

_____

Escoger la mejor opción

¡Imagínalo!

Encierra en un círculo los dos artículos que te gustaría comprar.

TEKS
9.B, 18.E, 20.B

Las personas y las comunidades escogen cómo usar los recursos todos los días. ¿Cómo deciden cuál es la mejor opción? Veamos cómo escogen algunas cosas.

¿Qué opciones hay?

La familia Archer tiene dinero para gastar en una actividad familiar. Primero, comentan las cosas que les gusta hacer. Luego hacen una lista de dos opciones.

Los Archer pueden visitar un centro científico o comprar un juego de mesa. Tienen suficiente dinero para pagar solo una de las dos opciones. ¿Cómo decidirán qué opción escoger?

1. ◎ **Causa y efecto** <u>**Subraya**</u> la razón por la cual los Archer tienen que escoger una opción.

DESCIFRA LA
PREGUNTA PRINCIPAL

Aprenderé a escoger la mejor opción.

Vocabulario

beneficio

costo

Cuenta a un compañero por qué escogiste los artículos.

Pasos para escoger la mejor opción

Primero, los Archer hablarán sobre los beneficios de cada opción. Un **beneficio** es un buen resultado de una opción que escogiste. En el centro científico, los Archer pueden aprender cómo funcionan las cosas y hacer experimentos divertidos. Si compran un juego, el juego puede durar mucho tiempo. También pueden compartirlo con sus amigos.

Luego, la familia hablará sobre los costos de cada opción. El **costo** es el precio de algo. Los boletos para el centro científico cuestan $48. El juego cuesta $35.

Por último, después de pensar en los beneficios y los costos, escogerán la mejor opción. ¿Cuál escogerías tú?

2. **Escribe** 1, 2 ó 3 junto a cada párrafo para indicar el orden de los pasos.

Beneficios y costos

Los Archer hicieron una tabla como ayuda para comparar sus opciones. Una tabla puede ayudarte a tomar una decisión. En una tabla, la información se muestra de manera clara. Los Archer hicieron una lista de los costos y los beneficios de cada opción.

3. **Lee** los beneficios. **Marca** con una X el recuadro de la actividad que escogerías.

¿Qué deberíamos escoger?			
Actividad	Beneficios	Costo	Opción
Juego familiar	1. Podemos usar el juego por mucho tiempo. 2. Podemos compartirlo con amigos.	$35	☐
Centro científico	1. Aprenderemos cómo funcionan las cosas. 2. Podemos hacer experimentos.	$48	☐

Tomar una decisión

Los Archer escogieron la visita al centro científico. Allí aprendieron sobre inundaciones y tornados con la ayuda de computadoras. Esos sucesos suelen ocurrir donde viven los Archer, por tanto, fue una buena decisión aprender sobre ellos.

4. **Subraya** la razón por la que los Archer pensaron que tomaron una buena decisión.

¿Entiendes?

TEKS 9.B, 20.B

5. **Idea principal y detalles** ¿En qué idea puedes pensar antes de escoger una opción?

_____

_____

6. Tienes suficiente dinero para ir al cine o comprar un libro. **(Encierra)** en un círculo tu opción. **Escribe** un beneficio de tu opción.

 **mi Historia: Ideas**

_____

_____

_____

_____

7. En una hoja aparte, **haz una lista** de dos cosas que te gustaría comprar. **Averigua** el costo y los beneficios de cada una. **(Encierra)** en un círculo la que más te gustaría comprar. ¿Por qué es esa la mejor opción?

Producir y consumir bienes

¡Imagínalo!

Mira las ilustraciones del panadero que prepara pretzels.

TEKS
7.B, 9.B, 10.A, 10.B, 18.E

Esta granjera vende tomates. El dinero que recibe es su salario.

Los **bienes** son las cosas que las personas hacen o cultivan. Tu familia usa y compra bienes. Los bienes pueden ser cualquier cosa: tomates, televisores ¡y hasta camiones!

Una persona que hace o cultiva bienes es un **productor.** Una persona que compra y usa bienes es un **consumidor.**

1. **Mira** la foto. **Escribe** P sobre el productor y C sobre el consumidor.

Producir bienes

Las personas producen bienes para ganar dinero. El dinero que ganan las personas se llama **salario.** El salario es lo que usan las personas para comprar las cosas que necesitan y que desean.

Dibuja lo que ocurre luego.

DESCIFRA LA PREGUNTA PRINCIPAL ?

Aprenderé por qué las personas producen y consumen bienes.

Vocabulario

bienes	consumidor
productor	salario

Decidir qué producir

Los productores cultivan o hacen los bienes que los consumidores quieren comprar. Lee sobre la granjera Green.

La granjera Green cultiva bayas. Debe decidir si cultivará fresas o arándanos azules. Se entera de que ya existen muchos huertos de arándanos azules en su comunidad. Los consumidores pueden comprar arándanos azules fácilmente. No hay muchos huertos de fresas.

Las personas de su comunidad probablemente comprarán fresas a la granjera Green si no se las pueden comprar a los demás productores. Ella podrá vender muchas fresas a buen precio.

2. ◉ **Idea principal y detalles** <u>**Subraya**</u> un detalle que indica por qué la granjera Green podría decidir cultivar fresas en lugar de arándanos.

PEARSON realize   Conéctate en línea a tu lección digital interactiva.

65

Recursos naturales

Un recurso natural es algo que proviene de la naturaleza. El aire, el agua, la luz solar y el suelo son recursos naturales. La granjera Green necesita el suelo y el agua para cultivar fresas.

3. **Subraya** la definición de *recurso natural*.

Otros tipos de recursos

La granjera Green necesita además otros tipos de recursos. Necesita dinero y maquinaria agrícola. Esos son recursos de capital. El tractor que se muestra es un recurso de capital. La granjera necesita personas que la ayuden a plantar y a recoger las fresas. Los trabajadores se llaman recursos humanos. La granjera Green necesita recursos naturales, de capital y humanos para cultivar y vender fresas.

Los trabajadores recogen las fresas cuando están maduras. Luego las ponen en un camión que las lleva hasta el mercado. La granjera Green, la productora, gana dinero con la venta de las fresas. El consumidor compra las fresas. ¡Todos obtienen algo que quieren!

4. **Subraya** dos maneras en las que los recursos humanos son útiles en el huerto de la granjera Green.

¿Entiendes?

TEKS 10.A, 10.B

5.  **Idea principal y detalles** **Haz una lista** de tres tipos de recursos.

_____

_____

_____

6. **Describe** un lugar donde compras alimentos. **mi** Historia: Ideas

_____

_____

_____

_____

7. **Haz una lista** de tres productores. **Haz una lista** de tres productos que consumes.

_____

_____

_____

_____

Destrezas de gráficas

Leer un diagrama de flujo

Los diagramas de flujo muestran el orden o la secuencia en que ocurren las cosas. Algunos diagramas de flujo muestran procesos. En cada recuadro se muestra un paso del proceso. Cada flecha señala el paso que sigue.

Lee el título del diagrama de flujo de abajo. En este diagrama se muestra cómo los productores recogen y exprimen las naranjas, y luego los consumidores compran el jugo.

Señala el primer paso. Explica qué ocurre primero. Sigue la flecha con el dedo. Explica qué ocurre luego. Sigue la flecha con el dedo. ¿Qué ocurre en el último paso?

Cómo se obtiene el jugo de naranja

Los productores cultivan naranjas en sus huertos. Las recogen cuando están maduras.

Las naranjas se exprimen en las fábricas. El jugo se pone en envases de cartón.

Los camiones llevan los envases de jugo a las tiendas. Los consumidores compran el jugo.

TEKS

ES 10.C Examinar el desarrollo de un producto desde recurso natural hasta un producto acabado.
ES 18.D Ordenar en secuencia y categorizar la información.
ES 19.B Crear e interpretar materiales visuales tales como organizadores gráficos para expresar ideas.

¡Inténtalo!

1. **Encierra** en un círculo la palabra que indica dónde las naranjas se transforman en jugo.

   fábrica   tienda   huerto

2. **Completa** la oración. En un diagrama de flujo se muestra

   _____

   _____ en que ocurren las cosas.

3. **Haz dibujos** en el diagrama de flujo. Agrega pasos para mostrar a una familia comiendo y lavando los platos. **Traza** una flecha entre los recuadros para mostrar la secuencia.

Cena en familia

PEARSON **realize** Conéctate en línea a tu lección digital interactiva.

69

Los trabajadores de servicios y sus trabajos

Mira las fotos. Estas personas ayudan a otras en su comunidad.

TEKS
11.B, 11.C

Los servicios son las tareas que hacen las personas para ayudar a otros. Las personas que hacen este tipo de trabajos se llaman trabajadores de servicios.

Los servicios en la comunidad

En todas las comunidades hay personas que trabajan para proporcionar, o dar, un servicio. Los policías, las enfermeras escolares y los bibliotecarios son trabajadores de servicios. Los trabajadores de servicios suelen recibir dinero por sus tareas.

Los taxistas, los camioneros y los barrenderos proporcionan servicios en la calle. ¿Puedes pensar en otras personas que proporcionan servicios en tu comunidad?

1. **Escribe** tres servicios que se proporcionan en tu comunidad.

_____

_____

Los equipos que reparan las carreteras proporcionan un servicio.

70

Dibuja a alguien que ayuda a las personas en tu comunidad.

Destrezas especiales

Los médicos y las enfermeras proporcionan un servicio importante. Ayudan a las personas a mantenerse saludables. Ayudan a las personas enfermas a recuperarse.

Los médicos y las enfermeras necesitan destrezas especiales para ayudar a las personas. Una **destreza** es saber cómo hacer algo. Los médicos necesitan saber cómo usar equipos especiales para escuchar el corazón de las personas. También usan equipos para ver dentro de los oídos y para pesar personas.

Muchos médicos se especializan en un área. **Especializarse** quiere decir hacer muy bien un tipo de cosa. Consultamos a algunos médicos cuando tenemos problemas en los ojos y a otros cuando nos rompemos un hueso.

2. **Subraya** una destreza especial en el texto de arriba.

PEARSON
realize™   Conéctate en línea a tu lección digital interactiva.

71

Otros trabajadores de servicios

También hay trabajadores de servicios en las escuelas. Los directores, las enfermeras, los bibliotecarios, los empleados de la cafetería, los conserjes y los maestros trabajan en las escuelas. Estos trabajadores de servicios tienen destrezas que los ayudan a hacer su trabajo.

Algunos maestros se especializan en una materia, como matemáticas, historia o lectura. Otros maestros deben saber cómo enseñar música o educación física.

3. **Escribe** el nombre de un trabajador de tu escuela que se especializa en un área.

_____

- - - - - - - - - - - - - - - - - - - -

_____

Los trabajadores del gobierno

Los policías y los bomberos son trabajadores del gobierno. Las comunidades les pagan con dinero de los impuestos. Un impuesto es dinero que el gobierno reúne para pagar servicios. El trabajo de los líderes del gobierno, tales como los alcaldes, los gobernadores y hasta el presidente, también se paga con los impuestos.

Las personas que trabajan en la oficina de correos también son trabajadores del gobierno. Trabajan mucho para asegurarse de que las personas en todos los Estados Unidos reciban su correo.

4. 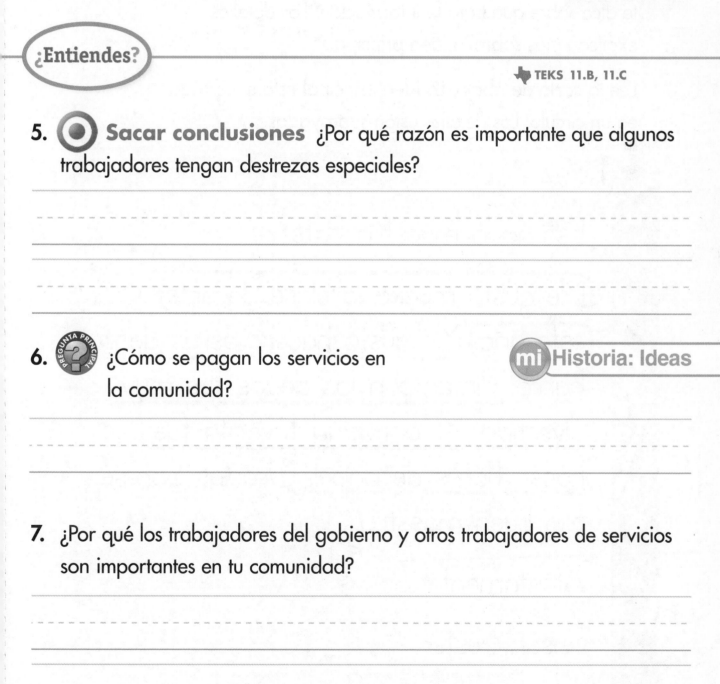 **Idea principal y detalles** <u>**Subraya**</u> tres trabajadores del gobierno.

¿Entiendes?

TEKS 11.B, 11.C

5. **Sacar conclusiones** ¿Por qué razón es importante que algunos trabajadores tengan destrezas especiales?

_____

_____

_____

_____

6. ¿Cómo se pagan los servicios en la comunidad?

mi Historia: Ideas

_____

_____

7. ¿Por qué los trabajadores del gobierno y otros trabajadores de servicios son importantes en tu comunidad?

_____

_____

_____

_____

PEARSON realize. Conéctate en línea a tu lección digital interactiva.

Destrezas de lectura

Idea principal y detalles

Cuando lees un párrafo, o escuchas a alguien hablar, busca la idea principal y los detalles. La idea principal te dice sobre qué trata la información. Los detalles explican más sobre la idea principal.

Lee la carta de abajo. La idea principal está encerrada en un círculo. Los detalles están subrayados.

Estimado maestro Patel:

(Me gustó mucho la clase de arte este año.) Me gustó hacer vasijas de barro. Pintar con los dedos fue muy divertido. Mi actividad favorita fue hacer flores de papel. Gracias por ser tan buen maestro.

Atentamente,

Susan Lester

Objetivo de aprendizaje

Aprenderé a identificar la idea principal y los detalles en un párrafo.

TEKS

ES 18.E Interpretar material oral e impreso para identificar la idea principal.
SLA 14.A Identificar la idea principal de un texto y distinguirla del tema.

Lee la carta en voz alta con un compañero.

Querida Susan:

Eres una estudiante de arte muy talentosa. Tu vasija de barro será un regalo muy bonito. Tus pinturas con los dedos fueron muy coloridas. Tus flores de papel eran adorables. Gracias por tu carta tan amable. ¡Continúa con tus bonitas obras!

Atentamente,

el maestro Patel

Subraya tres detalles. **Escribe** la idea principal que oíste.

_____

_____

_____

PEARSON realize Conéctate en línea a tu lección digital interactiva.

75

El comercio de bienes y servicios

(Encierra) en un círculo los bienes que intercambian los niños en la foto.

TEKS
7.B, 9.B, 10.A, 10.B

¿Cómo obtenemos los bienes y los servicios que deseamos y que necesitamos? Los comerciamos. **Comerciar** quiere decir comprar, vender o intercambiar bienes o servicios con otra persona. Cualquier lugar donde se comercien bienes o servicios es un mercado.

El comercio de bienes

Cuando vas a la tienda, probablemente usas dinero para pagar las cosas que quieres comprar. Hace mucho tiempo, las personas no usaban dinero para comprar cosas. Hacían trueques para obtener lo que necesitaban. **Hacer un trueque** es comerciar bienes o servicios sin usar dinero. Hoy en día, algunas personas hacen trueques, pero la mayoría usa dinero para comprar lo que necesita.

1. ◉ **Idea principal y detalles**
Subraya un detalle sobre el comercio de bienes.

Aprenderé cómo el comercio nos ayuda a obtener las cosas que necesitamos.

Vocabulario

comerciar   oferta

hacer un trueque

demanda

La oferta y la demanda

Los productores escogen qué vender. Piensan en la **demanda,** o cuántos consumidores quieren un bien. Luego piensan en la **oferta,** o cuánto hay de algo. Juntas, la oferta y la demanda ayudan a los productores a decidir cuánto deben cobrar por sus productos.

A Pat le encanta el pescado, pero vive en una ciudad alejada del agua. No hay muchos lugares cerca de la casa de Pat donde vendan pescado. Muchas personas quieren ese recurso natural, entonces las personas que lo venden cobran precios altos por él.

La abuela de Pat vive junto al océano. Cuando Pat la visita, puede comer mucho pescado. Los productores que venden pescado no pueden cobrar un precio alto por él porque las personas se lo comprarían a otro productor.

2. **Subraya** dos razones por las que el pescado cuesta más en la ciudad de Pat.

PEARSON realize. Conéctate en línea a tu lección digital interactiva.

77

El comercio en los Estados Unidos

Las personas de un estado pueden comerciar bienes con personas de otros estados. En la Florida se cultivan naranjas. Allí, los inviernos son cálidos. En Iowa se cultiva soya. Allí, el suelo es rico. Entonces, los productores de la Florida pueden vender naranjas a los consumidores de Iowa. Los productores de Iowa pueden vender soya a los consumidores de la Florida.

3. **Mira** el mapa. **Escribe** un modo en el que los consumidores de Illinois pueden obtener naranjas.

_____

_____

_____

Comercio en los Estados Unidos

Leyenda

estado productor de naranjas

estado productor de soya

El comercio con otros países

Algunos de los bienes y servicios que usan las personas de los Estados Unidos no se producen en el país. Podemos comerciar con otros países para obtener esas cosas. No existen muchos lugares en los Estados Unidos donde los plátanos crezcan bien. Probablemente, los plátanos que comes vienen del Ecuador.

4. **Subraya** un país que comercie con los Estados Unidos.

 **¿Entiendes?**

TEKS 9.B, 10.B

5. ⊙ **Idea principal y detalles** ¿Por qué comercian las personas?

_____

_____

_____

_____

6. ❓ ¿Dónde prefiere comprar tu familia las cosas que desea y necesita?

 **Historia: Ideas**

_____

_____

7. ¿Por qué los Estados Unidos comercian con otros países?

_____

_____

Tomar decisiones sobre el dinero

¡Imagínalo!

¡EMPIEZA A AHORRAR HOY!

Mis ahorros

Escribe una A sobre la ilustración de una persona que está ahorrando dinero.

TEKS
9.A, 9.B, 18.E

¿Alguna vez ganaste dinero o lo recibiste de regalo? ¿Qué hiciste con el dinero? ¿Lo gastaste enseguida? ¿Lo ahorraste para comprar algo después? **Ahorrar** quiere decir guardar algo para usarlo después.

¿Por qué ahorran las personas?

Él es Yoshi. Yoshi pasea al perro de su vecino una vez por semana. Su vecino le paga dos dólares por su trabajo.

Yoshi no gasta enseguida el dinero que gana. Ahorra el dinero para comprar un juego. Cada semana, Yoshi guarda su dinero en una alcancía.

1. **Escribe** una cosa que te gustaría comprar con ahorros.

DESCIFRA LA PREGUNTA PRINCIPAL

Aprenderé por qué las personas ahorran dinero.

Vocabulario

ahorrar
ahorros
pedir prestado
préstamo

Escribe G sobre la ilustración de alguien que está gastando dinero.

Un plan de ahorros

El dinero en la alcancía de Yoshi son sus ahorros. Los **ahorros** son el dinero que no se gasta de inmediato. Cuando Yoshi tenga suficientes ahorros, podrá comprar el juego.

Yoshi tiene un plan de ahorros. La idea principal de un plan de ahorros es ayudar a las personas a establecer objetivos según la cantidad de dinero que quieren ahorrar. Si Yoshi ahorra el dinero que gana cada semana, predice que podrá comprar el juego.

El juego que quiere Yoshi cuesta $8. Mira el plan de ahorros de Yoshi. En el plan de ahorros de Yoshi se muestra que, si ahorra todo el dinero que obtiene de pasear perros, podrá comprar el juego en cuatro semanas.

2. **Escribe** en el plan de ahorros la cantidad total que predices que Yoshi ahorrará en cuatro semanas.

Plan de ahorros de Yoshi

Semana	Dinero ahorrado
Semana 1	$2
Semana 2	$2
Semana 3	$2
Semana 4	$2
Total =	

PEARSON realize™ Conéctate en línea a tu lección digital interactiva.

81

Ahorrar en un banco

La amiga de Yoshi, Kate, también está ahorrando dinero. Kate rastrilla el jardín de su vecino para ganar dinero. Quiere ahorrar el dinero que gana. Su abuelo la llevó al banco para abrir una cuenta de ahorros. Una cuenta de ahorros es dinero que se ahorra en un banco. Nadie podrá robarlo y tampoco se perderá. El dinero de Kate está seguro en el banco.

El abuelo de Kate la ayuda a abrir una cuenta de ahorros.

3. ◎ **Sacar conclusiones** <u>Subraya</u> una razón por la que las personas ahorran dinero en un banco.

Pedir dinero prestado

A veces, las personas necesitan comprar algo enseguida, pero no tienen suficiente dinero. Pueden decidir pedir dinero prestado a un banco. **Pedir prestado** significa usar algo ahora y devolverlo luego. Cuando las personas piden dinero prestado, ese dinero se llama **préstamo.** Deberán devolver el préstamo más tarde.

A veces, el abuelo de Kate usa una tarjeta de crédito para comprar cosas.

Las personas también pueden obtener tarjetas de crédito de un banco para comprar cosas. Usar una tarjeta de crédito es lo mismo que obtener un préstamo.

A veces, el abuelo de Kate usa una tarjeta de crédito para comprar cosas. El abuelo de Kate pagará la cuenta de la tarjeta de crédito a fines del mes. El banco recuperará el dinero que le prestó.

4. **Completa** el espacio en blanco. El dinero que se pide prestado es un _____

_____

¿Entiendes?

TEKS 9.A, 9.B, 18.E

5. ◉ **Idea principal y detalles** **Explica** por qué ahorran las personas.

_____

_____

_____

_____

6. ? ¿Qué podrías comprar si ahorraras durante mucho tiempo? ¿Cómo ahorrarías tu dinero?

mi Historia: Ideas

_____

_____

_____

7. **Escribe** un objeto que deseas y lo que cuesta. ¿Cómo podrías ganar el dinero para comprarlo? ¿Cuánto tiempo tardarías en ahorrar ese dinero?

_____

_____

_____

PEARSON realize. Conéctate en línea a tu lección digital interactiva.

83

Lección 1 TEKS 9.B

1. **Lee** la pregunta y (**encierra**) en un círculo la mejor respuesta.

   ¿Cuál de los siguientes artículos es un deseo?

   A zapatos

   B teléfono celular

   C manzana

   D agua

2. **Escribe** dos opciones que podrías escoger al comprar este artículo.

_____

_____

_____

_____

Lección 2 TEKS 20.B

3. Una caja de marcadores cuesta $8. Una camiseta nueva cuesta $17.
   Escribe qué artículo escogerías y un beneficio de tu opción.

_____

_____

_____

4. **Idea principal y detalles** ¿Por qué los productores necesitan vender cosas que los consumidores quieren comprar?

_____

_____

_____

_____

Lección 4 TEKS 11.B

5. **Mira** las fotos. **Escribe** *sí* si la foto muestra un servicio que proporciona el gobierno y *no* en el caso contrario.

_____   _____   _____

_____   _____   _____

 Lección 5 🔻 TEKS 10.B

6. **Encierra** en un círculo la ilustración de personas que hacen un trueque. **Subraya** la ilustración de personas que usan dinero para comerciar.

7. ¿Por qué las personas de la ilustración de la izquierda son productores y consumidores a la vez?

Lección 6 🔻 TEKS 9.B

8. ¿Por qué las personas ahorran dinero?

my Story Book

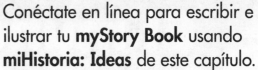Conéctate en línea para escribir e ilustrar tu **myStory Book** usando **miHistoria: Ideas** de este capítulo.

PREGUNTA PRINCIPAL

¿Cómo obtienen las personas lo que necesitan?

TEKS
ES 9.A, 9.B, 10.A, 10.B
SLA 17

En este capítulo aprendiste que las personas proporcionan bienes y servicios. También aprendiste cómo las personas obtienen esos bienes y servicios.

¿Qué bien o servicio te gustaría proporcionar para ganar un salario cuando seas grande?

Haz un dibujo que muestre cómo vendes un bien o proporcionas un servicio. Incluye a las personas o los consumidores que compran tu bien o usan tu servicio.
Escribe una leyenda para tu dibujo.

PEARSON realize Conéctate en línea a tu lección digital interactiva.

87

Texas

Capítulo

3

El mundo que nos rodea

mi Historia: ¡Despeguemos!

PREGUNTA PRINCIPAL

¿Cómo es el mundo?

Dibuja el lugar donde vives.

mi Historia: Video

 Conocimiento y destrezas esenciales de Texas

5.A Interpretar la información de mapas y globos terráqueos usando elementos de mapas simples, tales como título, orientación (norte, sur, este, oeste) símbolos/claves de un mapa.

5.B Crear mapas para mostrar lugares y rutas dentro del hogar, de la escuela y de la comunidad.

6.A Identificar los accidentes geográficos y las masa de agua más importantes, lo que incluye cada uno de los continentes y cada uno de los océanos, en los mapas y en los globos terráqueos.

6.B Ubicar lugares significativos, incluyendo la comunidad local, Texas, la capital del estado, la capital de los Estados Unidos, las ciudades más importantes de Texas, la costa de Texas, Canadá, México y los Estados Unidos en mapas y globos terráqueos.

6.C Examinar la información de varias fuentes sobre lugares y regiones.

7.A Describir cómo los factores climáticos y los factores de las estaciones del año afectan las actividades y la distribución de los poblados.

7.B Describir cómo los recursos naturales y los peligros naturales afectan las actividades y la distribución de los poblados.

7.C Explicar cómo la gente depende del ambiente físico y de los recursos naturales para satisfacer las necesidades básicas.

7.D Identificar las características de las diferentes comunidades, incluyendo zonas urbanas, suburbanas y rurales, y cómo estas características afectan las actividades y la distribución de los poblados.

8.A Identificar cómo las personas han modificado el ambiente físico, como por ejemplo la construcción de caminos, la limpieza de la tierra para el desarrollo urbano y la agricultura y la construcción de pozos petroleros.

8.B Identificar las consecuencias positivas y negativas de las modificaciones que los seres humanos han hecho al ambiente físico tales como el uso de la irrigación para mejorar los campos de cosechas.

8.C Identificar cómo las personas pueden conservar y reponer los recursos naturales.

18.B Obtener información sobre algún tópico utilizando una variedad de fuentes visuales tales como imágenes, mapas, fuentes electrónicas, literatura, fuentes de referencia y artefactos.

18.E Interpretar material oral, visual e impreso para identificar la idea principal, predecir y comparar y contrastar.

19.B Crear e interpretar materiales visuales y escritos, tales como historias, poemas y organizadores gráficos para expresar ideas.

Empecemos con una canción

Donde vivimos

Canta con la melodía de "Caballito blanco".

Entre rascacielos,

miles habitamos.

En el centro urbano

muchos trabajamos.

Pero no vivimos

solo en ciudades.

También en suburbios

y en áreas rurales.

PEARSON **realize** Conéctate en línea a tu lección digital interactiva.

Vistazo al vocabulario

- símbolo
- continente
- océano
- accidente geográfico
- tiempo
- medio ambiente

Identifica y **encierra** en un círculo ejemplos de estas palabras en la ilustración.

rural

recurso natural

renovable

conservar

tecnología

medio de transporte

Hablemos sobre la ubicación

¡Imagínalo!

Marca con una ✗ la ilustración en la que el pájaro está abajo de una rama.

TEKS
5.B, 6.B, 6.C, 18.E

Mira a tu alrededor. ¿Qué ves? Todo lo que nos rodea está en una ubicación o lugar determinado. La ubicación nos dice dónde están las cosas.

Ubicación relativa

¿Te sentaste cerca o lejos de la puerta del salón de clase? La **ubicación relativa** nos dice dónde se encuentra algo en comparación con otra cosa. Palabras como *arriba, abajo, sobre, al lado, cerca* y *lejos* indican la ubicación relativa de las personas, los lugares y las cosas.

1. **Subraya** las palabras que indican ubicación en esta página.

Panadería 10

Restaurante Arco Iris

12

Abierto

Abierto

Calle Principal

14

Vocabulario

ubicación relativa

ubicación absoluta

Haz una ✓ en la ilustración en la que el pájaro está sobre una rama.

Ubicación absoluta

¿Cómo sabe un empleado del servicio de correos dónde debe entregar una carta? La dirección escrita en el sobre indica la ubicación absoluta de un lugar, por ejemplo, la escuela o la casa de alguien. La **ubicación absoluta** es el punto exacto donde está ubicado un lugar. El cartero usa la ubicación absoluta para asegurarse de que cada carta se entregue en el lugar correcto.

2. ⊚ **Idea principal y detalles Mira** el restaurante Arco Iris de la ilustración. **Escribe** la ubicación absoluta del restaurante.

_____

_____

Los mapas muestran lugares y rutas

Los mapas nos muestran cómo son los lugares vistos desde arriba. Puedes crear un mapa para mostrar los lugares dentro de tu casa, la escuela o tu comunidad. En el mapa que crees, puedes incluir varios elementos, como símbolos, una leyenda y una rosa de los vientos.

El mapa de abajo muestra la comunidad de Washington, D.C. La línea morada muestra la ruta, o camino, desde el Capitolio hasta la Casa Blanca. Para mostrar una ruta en un mapa que hayas creado, localiza el punto de inicio y de llegada. Luego, marca la ruta entre las dos ubicaciones.

Washington, D.C.

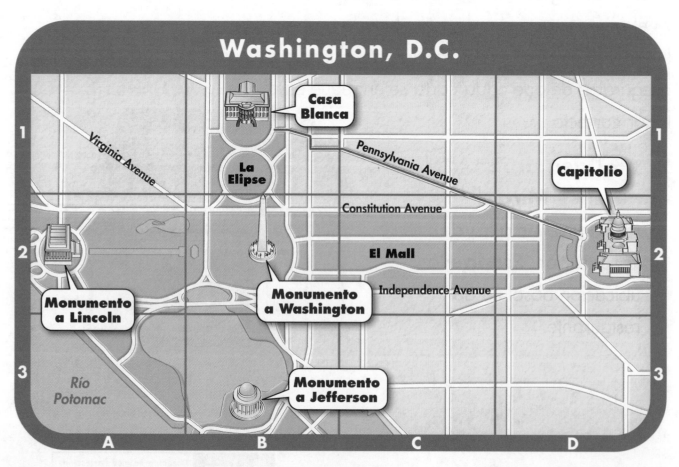

94

3. **Traza** la ruta entre el Capitolio y la Casa Blanca.
Nombra una calle en esa ruta.

_____

- -

_____

4. Traza una línea para **crear una ruta** desde el Capitolio
hasta el Monumento a Lincoln.

¿Entiendes?

TEKS 5.B, 6.C, 18.E

5. ⊙ **Comparar y contrastar** Compara y contrasta la ubicación
absoluta y la ubicación relativa.

_____

- -

_____

_____

_____

- -

_____

6. **Escribe** la ubicación relativa de tu escritorio.   mi Historia: Ideas

- -

_____

7. En una hoja aparte, **dibuja** un mapa para mostrar la ubicación de tu
casa y la de tu escuela. Luego traza la ruta que tomas desde tu casa
hasta la escuela.

Todo sobre mapas

Mira la montaña.
Dibuja una forma simple que sea como la de la montaña.

TEKS
5.A, 5.B, 6.C, 19.B

Los mapas pueden mostrar muchas cosas distintas. Pueden mostrar cosas naturales como la tierra y el agua. También pueden mostrar cosas hechas por las personas, como caminos y edificios. Y pueden mostrar una ruta.

Para qué usamos mapas

La familia de la foto está usando un mapa para seguir un sendero o camino. El mapa también les muestra qué dirección tomar para ir al área para picnic más cercana.

1. **Dibuja** un mapa sencillo de tu salón de clase. **Traza** una ruta desde la puerta hasta tu escritorio.

Dibuja un mapa de tu casa. Usa formas simples para mostrar los cuartos y los muebles.

Usar las partes de un mapa

El título del mapa de abajo nos dice qué lugar muestra el mapa. En este mapa se usan dibujos para representar cosas reales. Esos dibujos se llaman **símbolos.** La leyenda o clave del mapa explica qué quiere decir cada símbolo.

2. **Une** con una línea cada símbolo de la leyenda con su ubicación en el mapa. Luego **traza** la ruta desde el puesto del guardabosques hasta el área para picnic.

Camino de roca

Leyenda
- camino
- río
- entrada
- área para picnic
- puesto del guardabosques

Puntos cardinales y puntos cardinales intermedios

Una rosa de los vientos muestra direcciones. Se usan letras para indicar las direcciones. Los **puntos cardinales** son las cuatro direcciones principales. Estos son norte, sur, este y oeste. En medio de estos están los puntos cardinales intermedios que son noreste, sureste, suroeste y noroeste.

3. ◉**Idea principal y detalles** Mira el mapa y usa la rosa de los vientos. **Escribe** una N sobre el lugar que está al norte de la alcaldía. (Encierra) en un círculo el lugar que está al oeste de la alcaldía. **Subraya** el título del mapa.

Nuestra ciudad

Estanque de cisnes

BIBLIOTECA

ESCUELA

Calle Presidente

ESTACIÓN DE POLICÍA

Calle 1

ALCALDÍA

Calle 2

Calle Principal

OFICINA DE CORREOS

MERCADO DE MARK

Leyenda

estanque

casas

parque

Mapas del hogar y la escuela

Puedes usar las cosas que has aprendido sobre los mapas para crear tus propios mapas. Puedes crear un mapa para mostrar lugares dentro del hogar. Un mapa de tu hogar puede mostrar cuartos como una cocina o un dormitorio. Puedes usar símbolos para las escaleras o una estufa para crear la leyenda del mapa. Puedes mostrar una ruta desde la cocina hasta tu dormitorio.

También puedes crear un mapa de lugares y rutas dentro de una escuela. Un mapa de tu escuela podría mostrar la biblioteca y la oficina del director. Puedes usar símbolos como salidas o salones de clase. También puedes mostrar una ruta desde tu salón de clase hasta la oficina del director.

¿Entiendes?

TEKS 5.B, 19.B

4. ⦿ **Sacar conclusiones** ¿Para qué se usan los mapas?

_____

_____

5. (?) **Escribe** una cosa natural y una cosa hecha por los seres humanos que ves en la ruta que tomas a la escuela.

mi **Historia: Ideas**

_____

_____

6. En una hoja aparte, **crea** un mapa del cuarto que te gustaría tener. Usa símbolos para mostrar dónde estarían la cama, la puerta y otros objetos. **Traza** una línea que muestre la ruta de tu cama a la puerta.

Destrezas de mapas

Usar la escala de un mapa

Los mapas son más pequeños que el área de la Tierra que representan. Podemos usar la escala de un mapa para calcular la distancia, o la cantidad de espacio, entre dos lugares. Mira la escala de este mapa de Texas. Si pones una regla debajo de la escala, verás que 1 pulgada equivale a unas 200 millas. La parte verde superior de la escala mide la mitad de la longitud de la barra, o la mitad de la distancia. La parte verde representa 100 millas.

Texas, mapa político

Objetivo de aprendizaje

Aprenderé a identificar y usar la escala y la leyenda de un mapa.

TEKS

ES 5.A Interpretar la información de mapas usando elementos de mapas simples.
ES 5.B Crear mapas para mostrar lugares y rutas dentro de la comunidad.
ES 6.C Examinar la información de varias fuentes sobre lugares y regiones.
SLA 25.C Registrar información básica en formatos visuales sencillos.

Sigue los pasos para usar la escala y la leyenda de un mapa.

- Mira la leyenda y busca el símbolo de una ciudad. Coloca una tira de papel desde el punto de San Antonio hasta el punto de Pasadena. Marca cada punto en la tira de papel.

- Pon la tira de papel sobre la escala del mapa con uno de los puntos sobre el cero.

- El otro punto queda sobre el 200. Eso quiere decir que la distancia entre San Antonio y Pasadena es de unas 200 millas.

¡Inténtalo!

1. Usa la escala para **medir** la distancia en millas que hay entre Amarillo y Lubbock.

_____

- - - - - - - - - - - - - - - - - -

_____

2. **Crea** un mapa sencillo de una zona de tu comunidad. Incluye edificios, calles y parques. **Traza** una línea que muestre la ruta entre dos lugares.

Nuestra Tierra

¡Imagínalo!

Mira la foto. Muestra tierra y agua.

TEKS
5.A, 6.A, 6.B, 6.C, 18.E

La Tierra tiene siete áreas grandes de tierra llamadas **continentes.** Los continentes son: América del Norte, América del Sur, Europa, África, Asia, Australia (también llamado Oceanía) y la Antártida. La Tierra tiene cuatro masas de agua llamadas **océanos** que cubren la mayor parte de su superficie. Son el océano Atlántico, el océano Pacífico, el océano Índico y el océano Glacial Ártico.

La Tierra desde lejos

Esta foto muestra la Tierra desde el espacio. Como puedes ver, la Tierra es redonda como una pelota. La Tierra es muy grande. Por la forma que tiene, hasta las fotos que se toman desde el espacio pueden mostrar solamente una parte de la Tierra a la vez.

Océano Pacífico

Australia

Antártida

Océano Índico

1. ◉ **Causa y efecto** <u>Subraya</u> por qué no podemos ver toda la Tierra a la vez.

Haz otro dibujo donde muestres tierra y agua.

DESCIFRA LA PREGUNTA PRINCIPAL

Aprenderé cómo se ve la Tierra en un globo terráqueo y en un mapamundi.

Vocabulario

continente
océano
ecuador
primer meridiano

Mostrar la Tierra en un globo terráqueo

Una forma de estudiar algo muy grande es usar un modelo, o una copia pequeña, del objeto real. Un globo terráqueo es un modelo de la Tierra.

Busca los polos Norte y Sur en la foto del globo terráqueo. En los polos hace mucho frío. Busca el ecuador. El **ecuador** es una línea imaginaria que divide la Tierra por la mitad. La mitad que queda en el lado norte se llama hemisferio norte. La mitad que queda en el lado sur se llama hemisferio sur. Las personas que viven en los Estados Unidos viven en el hemisferio norte.

2. **Escribe** la letra *N* sobre el hemisferio norte y la letra *S* sobre el hemisferio sur. Con un compañero, usa un globo terráqueo de la clase para ubicar los dos hemisferios.

Polo Norte

ecuador

Polo Sur

Usar globos terráqueos

Puedes usar un globo terráqueo para hallar la ubicación de lugares. Los globos terráqueos tienen herramientas que pueden ayudarte a saber más acerca de los lugares. Al igual que los mapas, algunos globos terráqueos tienen una rosa de los vientos. La rosa de los vientos muestra en qué dirección están el norte, el sur, el este y el oeste.

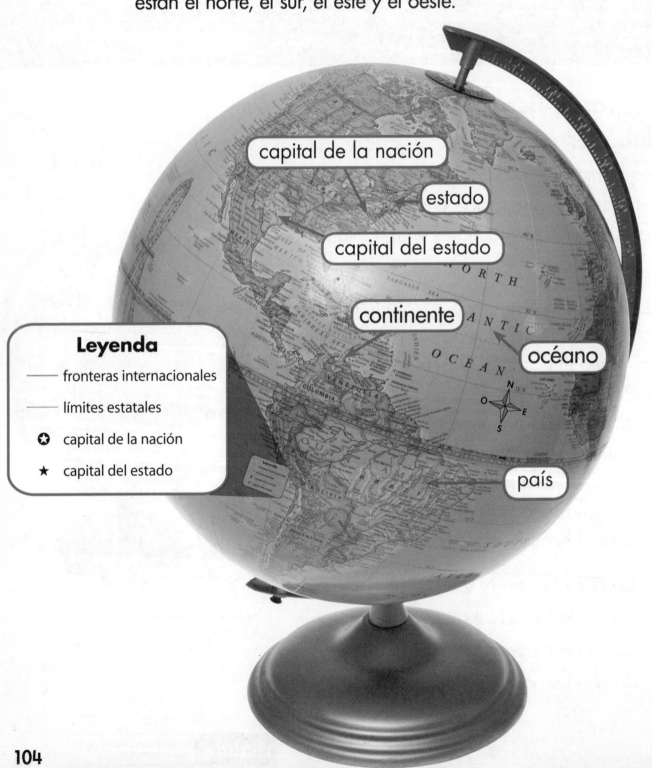

capital de la nación

estado

capital del estado

continente

océano

país

Leyenda

—— fronteras internacionales

—— límites estatales

✪ capital de la nación

★ capital del estado

La leyenda de un mapa te ayuda a identificar la tierra, el agua, las capitales y las fronteras. Las fronteras son las líneas imaginarias que separan los países y los estados. Mira el símbolo de las fronteras y los límites en la leyenda de la derecha. Esta imagen de un globo terráqueo muestra las fronteras entre los Estados Unidos, Canadá y México. Los globos terráqueos también muestran los continentes y los océanos.

Puedes usar la leyenda para hallar capitales. Mira los símbolos de estrellas en la leyenda. Uno es para las capitales de los estados y otro, para las capitales de las naciones, o países. Observa que son diferentes.

3. **Dibuja** un círculo alrededor de la capital de los Estados Unidos.

   Con un compañero, usa un globo terráqueo de la clase para ubicar los Estados Unidos, Canadá, México y la capital de los Estados Unidos.

El este y el oeste de la Tierra

La otra línea imaginaria que divide la Tierra por la mitad es el **primer meridiano.** Busca el primer meridiano en el globo terráqueo. La mitad de la Tierra que queda al este del primer meridiano es el hemisferio oriental. La mitad que queda al oeste es el hemisferio occidental.

4. Escribe *OR* sobre el hemisferio oriental y *OC* sobre el hemisferio occidental. Ubica los dos hemisferios en un globo terráqueo de la clase.

Latitud y longitud

Un mapamundi es un dibujo plano de la Tierra. Los cartógrafos usan un sistema de cuadrículas especial para encontrar la ubicación exacta de cualquier lugar sobre la Tierra. Ese sistema usa dos tipos de líneas imaginarias: las líneas de latitud y las líneas de longitud.

Las líneas que van de este a oeste son las líneas de latitud. Las líneas que van de norte a sur son las líneas de longitud.

5. Escribe qué tipo de línea es el ecuador.

_____

- -

_____

El mundo

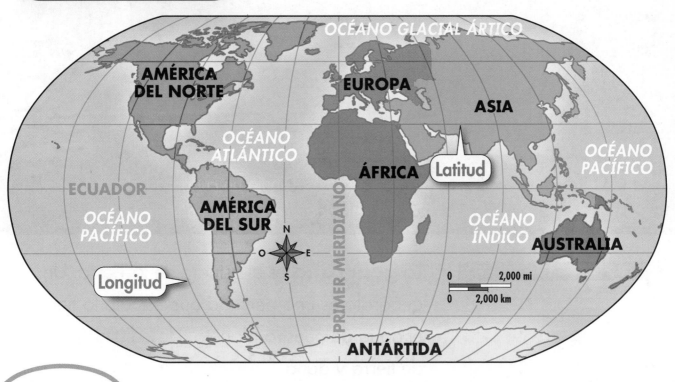

TEKS 5.A, 6.A, 18.E

6. **Idea principal y detalles** **Escribe** una ubicación relativa de América del Norte.

_____

_ _

_____

7. **Identifica** cuál es el océano que queda más cerca de tu casa.

 Historia: Ideas

_____

_ _

_____

8. **Encierra** en un círculo cada uno de los continentes del mapa de arriba. **Subraya** los nombres de los océanos. Luego ubica los continentes y los océanos en un globo terráqueo de la clase con un compañero.

Accidentes geográficos y masas de agua

¡Imagínalo!

Mira las fotos. Dibuja un cuadrado alrededor de una actividad que se hace en tierra firme.

TEKS
6.A, 6.B, 6.C

La **geografía** es el estudio de la Tierra. Un geógrafo es una persona que estudia la tierra y el agua de nuestro planeta. Hay distintos tipos de tierra y agua.

Accidentes geográficos

Las distintas formas de la superficie de la Tierra se llaman **accidentes geográficos.** Una montaña es la parte más alta de la Tierra. Una colina es un área elevada de tierra. Es como una montaña, pero más baja. La tierra baja que hay entre dos montañas o colinas se llama valle.

Una llanura es una gran superficie de tierra plana. Las llanuras no tienen grandes colinas ni montañas. Una llanura alta se llama meseta. Las mesetas están muy por encima del nivel del mar.

1. ◎ **Sacar conclusiones** Escribe *montaña* y *llanura* sobre los accidentes geográficos de la foto.

DESCIFRA LA PREGUNTA PRINCIPAL

Aprenderé a identificar los diferentes tipos de tierra y agua.

Vocabulario

geografía
accidente geográfico
mapa físico
mapa político

Encierra en un círculo la actividad que se hace en el agua.

Masas de agua

Hay dos tipos de agua en la Tierra: agua dulce y agua salada. Los océanos tienen agua salada. Los ríos y los lagos tienen agua dulce. Un río es una masa larga de agua que desemboca en otra masa de agua. Un lago es una masa de agua rodeada de tierra.

2. **Subraya** dos tipos de agua.

La tierra y el agua se encuentran

Una isla es un accidente geográfico rodeado de agua. Una península está rodeada de agua por todos sus lados, menos uno. La tierra se encuentra con el océano en la costa.

3. **Escribe** el tipo de accidente geográfico que se muestra en la foto.

_____

_____

PEARSON realize™ Conéctate en línea a tu lección digital interactiva.

109

Mapas físicos

Los **mapas físicos** muestran el agua y la tierra del planeta Tierra. Los colores y los símbolos de un mapa físico muestran los accidentes geográficos, los ríos, los lagos y los océanos. El agua se muestra con color azul.

El mapa físico de abajo muestra los accidentes geográficos y las masas de agua de los Estados Unidos. La leyenda muestra el color o los símbolos usados para los accidentes geográficos y las masas de agua.

4. **Encierra** en un círculo las áreas del mapa donde hay montañas.

Los Estados Unidos, mapa físico

OCÉANO PACÍFICO

OCÉANO ATLÁNTICO

0   400 mi
0   400 km

N
O   E
S

Leyenda
montañas
mesetas
llanuras
ríos

Mapas políticos

Los **mapas políticos** muestran líneas imaginarias llamadas fronteras. Las ciudades, los estados y los países tienen fronteras. Mira el mapa político de América del Norte. Muestra las fronteras entre los países de América del Norte.

5. (**Encierra**) en un círculo una línea de frontera en el mapa.

CANADÁ

OCÉANO PACÍFICO

ESTADOS UNIDOS

OCÉANO ATLÁNTICO

Golfo de México

MÉXICO

Islas del Caribe

N
O   E
S

0   1,500 mi
0   1,500 km

América Central

(**¿Entiendes?**)

TEKS 6.B, 6.C

6. **Idea principal y detalles** (**Encierra**) en un círculo los países y las regiones de América del Norte en el mapa de arriba.

7. **Escribe** el nombre de un accidente geográfico o de una masa de agua de tu comunidad.

mi Historia: Ideas

_____

_____

8. **Escribe** los tipos de mapas que usarías para ubicar Austin, Texas, y el golfo de México.

_____

_____

PEARSON realize Conéctate en línea a tu lección digital interactiva.

111

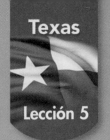

Texas

Lección 5

Estado del tiempo y clima

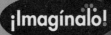

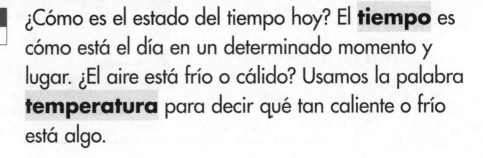

Dibuja algo que usas cuando llueve.

TEKS
6.C, 7.A, 7.B

¿Cómo es el estado del tiempo hoy? El **tiempo** es cómo está el día en un determinado momento y lugar. ¿El aire está frío o cálido? Usamos la palabra **temperatura** para decir qué tan caliente o frío está algo.

Tiempo húmedo y seco

El tiempo también puede ser húmedo o seco. En los días húmedos está nublado y llueve o nieva. La nieve cae cuando hace mucho frío. En los días secos, no llueve ni nieva. Los días secos suelen tener sol y el cielo despejado. Despejado quiere decir sin nubes.

Cuando el tiempo es frío y húmedo, escogemos ropa abrigada. Cuando el tiempo es cálido y seco, escogemos ropa liviana.

1. ● **Causa y efecto** (Encierra) en un círculo las pistas de la foto que te indican cómo es el tiempo. **Escribe** una palabra para

_____

_ _ _ _ _ _ _ _ _ _ _ _ _ _ _

describir el tiempo: _____

Dibuja algo que usas cuando nieva.

Aprenderé cómo los distintos estados del tiempo afectan a las personas, los animales y las plantas.

Vocabulario

tiempo	clima
temperatura	región

El tiempo y la naturaleza

Los animales y las plantas viven en lugares diferentes. Los osos polares son animales que viven solamente en lugares donde el tiempo es frío. El pelaje grueso que tienen los ayuda a mantenerse abrigados en lugares donde hace frío y nieva.

El musgo es una planta que crece en lugares de tiempo húmedo. En la selva el tiempo es muy húmedo. ¡Pueden caer hasta 14 pies de lluvia en un año! El tiempo húmedo es bueno para las ranas. Evita que se les seque mucho la piel.

2. **Subraya** cómo el tiempo húmedo ayuda a las ranas.

En la selva Hoh, en el estado de Washington, viven muchas ranas.

PEARSON realize

Conéctate en línea a tu lección digital interactiva.

Regiones climáticas

El tiempo que hace en un lugar durante mucho tiempo se llama **clima.** Los patrones climáticos afectan la forma en que vive la gente. Las personas que viven en climas fríos donde nieva suelen usar ropa abrigada y botas. Pueden esquiar o andar en trineo para divertirse.

Una **región** es un área con algo en común. Algunas regiones tienen el mismo clima. El mapa de abajo muestra cinco regiones climáticas de los Estados Unidos.

3. **Traza** las regiones climáticas de Texas en el mapa. **Encierra** en un círculo tu tipo de clima en la leyenda.

Regiones climáticas de los Estados Unidos

| | 400 mi |
| | 400 km |

Washington
Montana
Dakota del Norte
Minnesota
New Hampshire
Vermont
Maine
Oregón
Idaho
Dakota del Sur
Wisconsin
Michigan
Nueva York
Massachusetts
Wyoming
Rhode Island
Connecticut
Pennsylvania
Nueva Jersey
OCÉANO ATLÁNTICO
Nevada
Utah
Nebraska
Iowa
Indiana
Ohio
Delaware
Illinois
Virginia Occidental
Maryland
California
Colorado
Kansas
Missouri
Virginia
Washington, D.C.
Kentucky
Carolina del Norte
Arizona
Nuevo México
Oklahoma
Tennessee
Arkansas
Carolina del Sur
Alabama
Georgia
OCÉANO PACÍFICO
Mississippi
Texas
Luisiana
Florida
Golfo de México
N O E S

Alaska

Hawái

Leyenda
- marítimo
- frío
- cálido y húmedo
- caluroso y húmedo
- caluroso y seco

114

El tiempo cambia

El tiempo cambia día a día. Los cambios repentinos en el tiempo pueden ser peligrosos. Si llueve mucho, puede haber una inundación. Cuando hay vientos fuertes, decimos que hay una tormenta. Los tornados y los huracanes son dos tipos de tormentas peligrosas. Quizá las personas deban dejar sus hogares para estar a salvo.

Tornado

4. **Subraya** dos tipos de tormentas peligrosas.

¿Entiendes?

TEKS 6.C, 7.A, 7.B

5. **Causa y efecto** ¿Cómo te afecta el estado del tiempo?

_____

_____

_____

_____

6. ¿Qué tiempo hace hoy en la región donde vives?

mi Historia: Ideas

_____

_____

7. ¿Qué tipos de tormentas ocurren en tu región?

_____

_____

Nuestro medio ambiente

Piensa si este lugar es como el lugar donde vives o distinto.

TEKS
7.C, 7.D, 8.A, 8.B, 8.C, 18.E

El **medio ambiente** es el aire, la tierra, el agua y los seres vivos que nos rodean. Está formado por las plantas, los animales, las personas y los edificios donde vivimos. Las personas cambian el medio ambiente para obtener las cosas que necesitan.

Las personas cambian la tierra

Las personas construyen ciudades sobre la tierra. Una ciudad es un medio ambiente **urbano.** Muchas ciudades son pequeñas al principio y luego crecen. En las ciudades hay autopistas, edificios de apartamentos y edificios de oficinas.

Dibuja el lugar donde vives.

Aprenderé cómo las personas pueden cambiar su medio ambiente.

Vocabulario

medio ambiente   rural
urbano   recurso
suburbano   natural

Antes de construir un edificio, se quitan los árboles y otras plantas. Los animales deben buscar otro lugar para vivir. Las personas usan máquinas para aplanar la tierra.

Un medio ambiente **suburbano** está cerca de una ciudad. En los suburbios, las personas despejan la tierra para construir calles, casas, parques y centros comerciales. Un medio ambiente **rural** está formado por pequeños pueblos y granjas. Los granjeros despejan la tierra para sembrar cultivos.

1. ◎ **Comparar y contrastar Escribe** *U, S* y *R* sobre los medio ambientes urbanos, suburbanos y rurales.

Plataforma petrolera

Cambiar el medio ambiente

Las personas cambian el medio ambiente para obtener recursos naturales. Los **recursos naturales** son cosas de la naturaleza que podemos usar. Las personas construyen pozos petroleros porque los carros, los trenes y los autobuses funcionan con petróleo.

Cuando las personas extraen recursos puede haber efectos negativos, o malos. Los pozos petroleros pueden dañar el aire que respiramos. Extraer recursos también puede cambiar y destruir los hábitats de los animales.

A veces ocurren accidentes en los pozos petroleros. Las personas buscan petróleo en el océano usando algo que se llama plataforma petrolera. A veces el petróleo se derrama en el océano y daña a los peces y otros animales.

Ave cubierta de petróleo

2. **Identifica** una manera en que las personas han cambiado el medio ambiente para extraer recursos naturales. **Escribe** el efecto que tiene ese cambio en el medio ambiente.

_____

_____

_____

_____

_____

Las personas pueden tomar menos recursos del medio ambiente. Pueden usar menos petróleo. Pueden caminar o montar en bicicleta en lugar de manejar carros. Pueden apagar las luces de su hogar cuando no las necesitan.

Las personas pueden plantar árboles para reemplazar otros que fueron cortados. Cuando plantan árboles, están reponiendo, o renovando, un recurso natural. Eso ayuda a mantener sano el hábitat.

Niñas plantando un árbol

Si se produce un derrame de petróleo, las personas pueden ayudar a limpiar el medio ambiente. Pueden limpiar los animales y las plantas. Esta es una manera positiva, o buena, en que las personas pueden cambiar el medio ambiente.

3. **Identifica** tres maneras en que las personas pueden ayudar al medio ambiente.

_____

_____

_____

_____

_____

_____

_____

_____

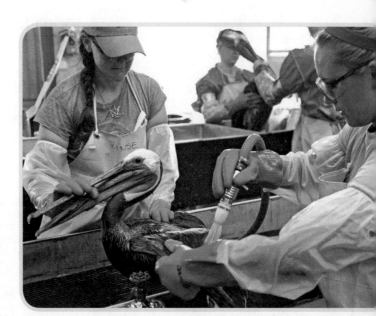

Personas lavando un ave para quitarle el petróleo

Las personas cambian el agua

Una de las formas de cambiar el curso del agua de la Tierra es construir una represa. Una represa es una pared que se construye a lo ancho de un río o un arroyo. Las represas contienen el agua y ayudan a capturar energía. También se puede cambiar el curso del agua al construir canales. Un canal es una vía fluvial que conecta dos masas de agua. Los canales nos permiten viajar y transportar bienes.

4. **Subraya** dos formas en que las personas pueden cambiar el agua.

Hacer la vida más fácil

Cambiamos nuestro medio ambiente para hacer la vida más fácil. Esos cambios son importantes para la forma en que la gente vive y trabaja. Las carreteras, los puentes y los túneles unen distintos lugares para que las personas puedan ir rápidamente de un lugar a otro.

Represa Hoover

Pittsburgh, Pennsylvania

Los agricultores aran el suelo para sembrar semillas y producir cultivos. Cuando no llueve lo suficiente para que los cultivos crezcan, los agricultores irrigan la tierra. Irrigar significa llevar agua hasta la tierra seca. Así es más fácil producir más cultivos.

5. **Encierra** en un círculo la parte de la foto que muestra lo que quiere decir irrigar.

TEKS 7.C, 7.D, 8.A, 8.B, 8.C

6. ◉ **Causa y efecto Escribe** un efecto de cambiar el medio ambiente.

_____

_____

7. ¿El medio ambiente donde vives es urbano, suburbano o rural? **Escribe** cómo lo sabes.

mi Historia: Ideas

_____

_____

_____

8. **Escribe** una manera en que las personas cambian el medio ambiente para satisfacer sus necesidades.

_____

_____

Cómo decidimos dónde vivir

Mira la foto.

TEKS
7.A, 7.B, 7.D

Las personas deciden dónde **establecerse,** o dónde vivir. Piensan cómo los recursos naturales, el tiempo y las estaciones del año afectan lo que quieren hacer.

Recursos naturales

Cuando las personas escogen un lugar para establecerse, buscan un lugar que tenga recursos naturales para satisfacer sus necesidades. El agua es un recurso que satisface una necesidad. Las personas necesitan la madera de los bosques para construir casas. Necesitan tierras con buen suelo para cultivar alimentos. Los recursos naturales también afectan las actividades que se pueden hacer. Si un lugar está cerca del agua, se puede nadar, navegar en bote o pescar.

1. **Identifica** tres recursos naturales que afectan dónde se establecen las personas.

_____

_____

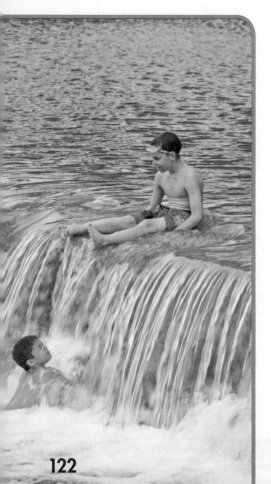

DESCIFRA LA
PREGUNTA PRINCIPAL

Aprenderé por qué las personas escogen vivir en diferentes lugares.

Vocabulario

establecerse

peligros naturales

Cuéntale a un compañero qué actividades te gustaría hacer en este medio ambiente.

Estado del tiempo y estaciones del año

Las personas pueden elegir vivir en un lugar cálido. En un lugar cálido, se pueden cultivar alimentos todo el año. En un lugar frío, hay que usar ropa abrigada y construir casas que no dejen pasar el frío. Las estaciones del año afectan las actividades que puedes hacer y el lugar donde vives. Puedes nadar al aire libre en verano y esquiar en invierno.

Los peligros naturales, o los estados del tiempo extremos, pueden afectar dónde se establecen las personas. Los terremotos, los tornados y los huracanes son **peligros naturales.** Pueden causar daños. Las personas no pueden hacer actividades al aire libre cuando el estado del tiempo es extremo porque es peligroso.

2. ⊙ **Causa y efecto** <u>Subraya</u> cómo el estado del tiempo afecta las actividades que hacen las personas y el lugar donde viven.

Huracán

Tipos de comunidades

Has aprendido acerca de los tipos de comunidades. Las actividades que te gusta hacer afectan el tipo de comunidad que escoges para vivir.

Si te gusta vivir cerca de mucha gente, quizá escojas vivir en un área urbana. Tal vez desees vivir cerca de museos y teatros. Podría gustarte ir a restaurantes. En un área urbana puedes hacer estas actividades.

Si quieres vivir en una comunidad con espacios abiertos, quizá decidas vivir en el campo. En una comunidad rural hay menos personas. Hay tierras para cultivar. Puedes montar a caballo y hacer largas caminatas. Quizá desees vivir en un sitio intermedio, como un suburbio. En un suburbio hay muchas personas y actividades, pero también hay espacios abiertos.

3. **Escribe** dos cosas acerca de cada comunidad que afectan la razón por la cual las personas se establecen allí.

urbana: ____________________

rural: ____________________

suburbana: ____________________

¿Entiendes?

TEKS 7.A, 7.B

4. **Causa y efecto** ¿De qué modo los recursos naturales afectan los lugares donde viven las personas?

5. PREGUNTA PRINCIPAL **Escribe** una actividad que te gusta hacer en verano en el lugar donde vives.

mi Historia: Ideas

6. ¿De qué modo los peligros naturales afectan los lugares donde se establecen las personas? ¿Por qué?

Causa y efecto

Una causa es la razón por la que algo ocurre.
El efecto es lo que ocurre.

Causa **Efecto**

Causa **Efecto**

Mira la ilustración de la lluvia. La lluvia es una causa.
Sigue la flecha. La flecha señala la ilustración de un
paraguas. La lluvia fue la causa de que el niño abriera
su paraguas. Ese es el efecto.

TEKS

ES 7.A Describir cómo los factores climáticos afectan las actividades.

ES 19.B Crear materiales visuales, tales como organizadores gráficos para expresar ideas.

SLA 15.A Seguir instrucciones escritas que tienen pasos múltiples.

SLA 15.B Utilizar elementos gráficos comunes para facilitar la interpretación de un texto (ej., ilustraciones).

¡Inténtalo!

1. **Mira** la ilustración de las personas que están limpiando la playa. ¿Las personas son la causa o el efecto?

   _____

   _____

2. **Escribe** el efecto.

   _____

   _____

3. **Mira** los dibujos de abajo. **Dibuja** la causa y el efecto que faltan en los recuadros vacíos.

Causa

Efecto

Causa

Efecto

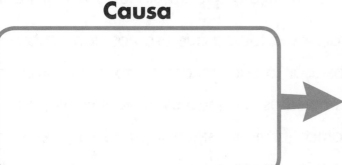

PEARSON **realize** Conéctate en línea a tu lección digital interactiva.

127

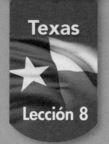
Los recursos de la tierra

árboles   trigo

Une con una línea los árboles y el trigo con los productos que hacemos con ellos.

TEKS
7.B, 7.C, 8.C, 18.B

Las turbinas eólicas obtienen energía del viento.

La naturaleza nos da todo lo que necesitamos para vivir. Nos da el aire para respirar y la energía de la luz solar. De la naturaleza también obtenemos el petróleo para hacer combustible para nuestros carros. La naturaleza tiene muchas cosas que nosotros usamos. Esas cosas se llaman recursos naturales.

Recursos renovables

Un recurso que puede reemplazarse es un recurso **renovable.** El agua, el viento, la luz solar y el suelo son recursos renovables. El suelo y el agua se reemplazan con procesos naturales. Nunca nos vamos a quedar sin luz solar ni viento.

La energía es la fuerza que usamos para trabajar. Podemos usar la energía del viento para iluminar nuestros hogares. Cuando usamos el viento, no lo agotamos. El viento sigue soplando. Por eso decimos que es renovable.

1. **Subraya** la palabra que quiere decir "pueden reemplazarse".

pan

lápiz

Recursos no renovables

Un recurso que no puede reemplazarse es un recurso **no renovable.** El petróleo y el carbón son recursos no renovables. El carbón se puede quemar para iluminar nuestros hogares. Cuando lo quemamos, se pierde para siempre.

La gráfica circular muestra la energía que usamos en los Estados Unidos. Las gráficas circulares comparan cantidades de distintas cosas. Usa la gráfica para responder la pregunta de abajo.

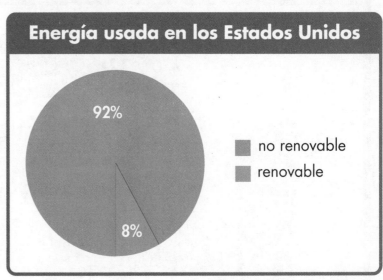

Energía usada en los Estados Unidos

92%

8%

■ no renovable
■ renovable

Fuente: Administración de Información de Energía de los Estados Unidos, 2009

2. ◉ **Sacar conclusiones Completa** el espacio en blanco.

En los Estados Unidos, la mayor parte de la energía que

_____

usamos viene de recursos _____ .

PEARSON
realize   Conéctate en línea a tu lección digital interactiva.

129

Los estados y sus recursos

Cada estado tiene recursos diferentes. Los recursos naturales suelen afectar el lugar que las personas escogen para vivir. Afectan el modo en que viven y trabajan. El mapa muestra algunos de los recursos del Sureste. Se usa gran parte de la tierra para la agricultura. Es posible que allí las personas usen la tierra para cultivar o para criar animales en granjas. Quizá las personas que viven cerca de las costas trabajen en la industria pesquera.

3. **Mira** el mapa. **Encierra** en un círculo la parte del Sureste donde hay minas de carbón.

Recursos naturales del Sureste

Leyenda
- agricultura
- bosque
- área urbana
- humedal
- carbón
- pescado/mariscos
- energía hidroeléctrica
- gas natural
- petróleo

R. Ohio
R. Arkansas
R. Mississippi
R. Tennessee
R. Alabama
WV
KY
VA
NC
AR
TN
SC
MS
GA
LA
AL
FL
OCÉANO ATLÁNTICO
Golfo de México

0   200 mi
0   200 km

Conservamos los recursos

Los recursos naturales son importantes para el futuro.
Tenemos que **conservar,** o proteger, los recursos que
usamos. Cierra el grifo para reducir la cantidad de agua
que usas cuando te cepillas los dientes. Reutiliza las bolsas
plásticas. Recicla papel, latas, plástico y vidrio para que se
puedan fabricar otras cosas con ellos.

4. **Subraya** dos maneras en que puedes conservar recursos.

TEKS 7.B, 7.C, 8.C

5. **Causa y efecto** ¿Por qué es necesario conservar los
recursos naturales?

_____

_____

6. **Escribe** el nombre de un recurso natural que   **mi** Historia: Ideas
usas todos los días. ¿Cómo lo usas?

_____

_____

7. **Escribe** un ejemplo de cómo los recursos naturales afectan los lugares
donde viven las personas.

_____

_____

_____

El desplazamiento de ideas, personas y cosas

¡Imagínalo!

Las fotos muestran dos formas en las que las personas pueden comentar sus ideas y pensamientos.

TEKS
5.A, 7.C, 8.A, 8.C

Todos los días, se desplazan ideas, personas y bienes por el mundo. La tecnología hace que eso sea más fácil año tras año. La **tecnología** es el uso de destrezas y herramientas.

Desplazamiento de ideas

La **comunicación** es la forma en que las personas comentan ideas, pensamientos e información. La tecnología de hoy día hace que la comunicación sea rápida y fácil. Podemos usar la computadora para enviar cartas, jugar juegos, estudiar, escuchar música y ver películas. Podemos llamar a alguien desde casi cualquier lugar con un teléfono celular. Con un GPS, o sistema de posicionamiento global, podemos ver la ubicación exacta de cualquier persona en cualquier momento y en cualquier lugar del mundo.

Sistema de posicionamiento global

1. Causa y efecto **Subraya** uno de los efectos de las nuevas tecnologías.

Dibuja una forma en que las personas o los bienes se desplazan.

Desplazamiento de personas

Los **medios de transporte** son formas de desplazar personas o bienes. Podemos viajar en autobuses, taxis, trenes subterráneos y carros. Cuando viajamos en carro usamos las calles y las autopistas. Los mapas de carreteras o un GPS nos ayudan a ir de un lugar a otro.

Mapa de carreteras de Texas

Leyenda

- 24 carretera interestatal
- 31 carretera nacional
- ★ capital del estado
- • ciudad

2. **Encierra** en un círculo la carretera interestatal 35 de Laredo a Austin.

PEARSON realize. Conéctate en línea a tu lección digital interactiva.

133

Desplazamiento de cosas

¿Has recibido alguna vez una carta o un regalo por correo? ¿Cómo llegan los comestibles desde la tienda hasta tu casa? Todos los días, desplazamos cosas pequeñas y grandes de un lugar a otro.

Cambiamos la superficie de la Tierra para que nos sea más sencillo desplazar las cosas. Construimos carreteras o caminos. Abrimos túneles en colinas y montañas. Construimos puentes sobre ríos.

No podemos fabricar o cultivar todo lo que queremos y necesitamos en los Estados Unidos. Así que tenemos que comerciar con otros países. Cuando comerciamos, usamos los medios de transporte para desplazar las cosas. Los camiones trasladan los bienes por las carreteras. Los trenes trasladan los bienes por las vías. Los barcos trasladan los bienes por los océanos. Los aviones trasladan los bienes por el aire.

3. **Subraya** tres modos de desplazar cosas.

Ayudarnos unos a otros

Podemos usar los medios de comunicación y de transporte para ayudar a personas en todo el mundo. Si en algún lugar del mundo hacen falta alimentos o remedios, podemos enviar ayuda rápidamente. Con los helicópteros podemos enviar suministros a lugares difíciles de alcanzar.

4. Subraya dos bienes que podemos enviar a quienes los necesitan.

¿Entiendes?

TEKS 7.C, 8.A

5. ⊙ **Causa y efecto Escribe** una forma de tecnología que ha hecho que las comunicaciones o el transporte sean más fáciles.

_____

_____

_____

6. ❓ ¿Cómo has usado los medios de comunicación o de transporte hoy?

mi Historia: Ideas

_____

_____

_____

7. ¿Cómo han cambiado las personas el medio ambiente para satisfacer una necesidad?

_____

_____

_____

_____

Lección 1 TEKS 6.B

1. **Encierra** en un círculo la ubicación absoluta.

Al frente de la clase   Sobre el escritorio   Calle Principal 14

Lección 2 TEKS 5.B

2. **Dibuja** un mapa sencillo de un área de tu comunidad. Incluye una rosa de los vientos.

Lección 3 TEKS 5.A

3. **Une** con una línea cada palabra con su ubicación en el globo terráqueo.

ecuador

primer meridiano

latitud

longitud

Lección 4 TEKS 6.A

4. **Dibuja** y **rotula** dos accidentes geográficos.

Lección 5 TEKS 7.A

5. ⊙ **Causa y efecto Completa** la oración. (**Encierra**) en un círculo la mejor opción.

Amelia se pone un abrigo grueso y un sombrero si el tiempo es

A cálido y soleado.　　　　**C** caluroso y húmedo.

B frío y ventoso.　　　　**D** caluroso y seco.

Lección 6 TEKS 8.A

6. **Escribe** dos maneras en que las personas pueden cambiar su medio ambiente.

_____

_____

_____

_____

Lección 7 🏴 TEKS 7.B

7. **Escribe** dos maneras en que los peligros naturales afectan la vida de las personas.

Lección 8 🏴 TEKS 8.C

8. **Escribe** cuatro cosas que se pueden reciclar para conservar los recursos naturales.

Lección 9 🏴 TEKS 7.C

9. **Escribe** cómo nos ayudan dos medios de transporte.

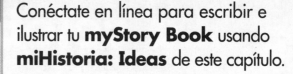

En este capítulo has aprendido sobre la Tierra, las plantas, los animales y las personas que viven aquí.

¿Cómo crees que será el mundo dentro de 100 años? **Haz un dibujo** en el que muestres tus predicciones. Escribe una leyenda para tu dibujo.

TEKS
ES 18.E
SLA 17

PEARSON
realize. Conéctate en línea a tu lección digital interactiva.

139

La celebración de nuestras tradiciones

mi Historia: ¡Despeguemos!

¿Cómo se comparte la cultura?

mi Historia: Video

Piensa en las historias que se cuentan en tu familia. **Haz un dibujo** en el que estés celebrando tu cultura.

Conocimiento y destrezas esenciales de Texas

1.A Explicar la significancia de diferentes celebraciones de la comunidad, del estado y de la nación tales como el Día de los Veteranos de Guerra, el Día de los Caídos, el Día de la Independencia y el Día de Acción de Gracias.

4.A Identificar las contribuciones de personajes históricos, incluyendo a Thurgood Marshall, Irma Rangel, John Hancock y Theodore Roosevelt, quienes han influenciado la comunidad, el estado y la nación.

6.C Examinar la información de varias fuentes sobre lugares y regiones.

13.B Identificar personajes históricos tales como Paul Revere, Abigail Adams, las Pilotos al servicio de la fuerza aérea en la segunda guerra mundial, siglas en inglés (WASPs) y los Navajo Code Talkers quienes han sido un ejemplo de buena ciudadanía.

14.D Identificar cómo algunas costumbres, símbolos y celebraciones reflejan el amor que tienen los estadounidenses al individualismo, la inventiva y la libertad.

15.A Identificar una selección de historias, poemas, estatuas, pinturas y otros ejemplos de la herencia cultural local.

15.B Explicar el significado de la selección de historias, poemas, estatuas, pinturas y otros ejemplos de la herencia cultural local.

16.A Identificar la significancia de las celebraciones étnicas y/o culturales.

16.B Comparar las celebraciones étnicas y/o culturales.

18.A Obtener información sobre algún tópico utilizando una variedad de fuentes auditivas tales como conversaciones, entrevistas y música.

18.B Obtener información sobre algún tópico utilizando una variedad de fuentes visuales tales como imágenes, mapas, fuentes electrónicas, literatura, fuentes de referencia y artefactos.

18.E Interpretar material oral, visual e impreso para identificar la idea principal, predecir y comparar y contrastar.

19.A Expresar sus ideas oralmente basándose en el conocimiento y las experiencias.

19.B Crear e interpretar materiales visuales y escritos, tales como historias, poemas y organizadores gráficos para expresar ideas.

Empecemos con una canción

Los días festivos

Canta con la melodía de "Un elefante se balanceaba".

Cuando tenemos días festivos,

es muy bonito celebrar

con reuniones, juntos en casa

o viendo carrozas desfilar.

Cenas, regalos, bailes, cohetes,

piñatas y música en vivo.

Cada país y cada cultura

tiene sus días festivos.

PEARSON **realize** Conéctate en línea a tu lección digital interactiva.

141

Vistazo al vocabulario

cultura

idioma

tradición

artefacto

festival

Identifica y
encierra en un
círculo ejemplos de
estas palabras en la
ilustración.

FESTIVAL DE LA CULTURA

costumbre

día festivo

héroe

veterano

sitio de interés

La cultura es nuestro modo de vida

¡Imagínalo!

Distintas familias comen distintas comidas.

TEKS
13.B, 15.A, 15.B, 18.A, 18.B

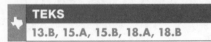

Aloha

Ciao

Hola

Jambo!

Yiasou

Cada idioma tiene su propia manera de saludar.

La **cultura** es un modo de vida. La cultura incluye a nuestra familia, nuestros amigos y nuestra comunidad. Incluye la comida que comemos, la ropa que usamos y el lugar donde vivimos. El idioma, la música y la religión también forman parte de la cultura. Es la herencia que se transmite de padres a hijos.

Nuestro idioma

Bonjour! Eso dicen los niños en Francia cuando saludan a un amigo. Quiere decir "hola". En inglés, se dice "hello". En distintas partes del mundo, hay maneras diferentes de decir una misma cosa. Un **idioma** contiene palabras habladas o escritas que usamos para comunicar ideas y sentimientos. Los saludos existen en todas las culturas.

1. ◎ **Idea principal y detalles**
   Subraya una forma de saludar en la cultura estadounidense.

Dibuja una comida que te gusta.

Aprenderé que las culturas comparten el idioma, la música, la comida y el arte.

Vocabulario

cultura	tradición
idioma	artefacto

Nuestra música

La música nos pone alegres. La música es una parte importante de todas las culturas. Es algo que disfrutan los jóvenes y los adultos. Tarareamos, cantamos, aplaudimos y bailamos.

Cada cultura tiene su propia música. Se usan diferentes tipos de instrumentos para producir sonidos especiales.

Muchos niños aprenden a tocar instrumentos gracias a sus padres o sus abuelos. Cuando esos niños crecen, enseñan a sus propios hijos a tocar la música de su cultura. Eso se llama tradición. Una **tradición** es algo que se transmite a través del tiempo.

2. **Escribe** el nombre de una canción que te gusta cantar.

_____

_____

El calipso es un tipo de música de las Antillas que se toca con tambores, sonajas y guitarras.

Vasija de los pueblo

La transmisión de tradiciones

Las tradiciones pueden transmitirse a través de los artefactos. Un **artefacto** es un objeto, como una vasija, creado hace mucho tiempo. Los indígenas pueblo han trabajado la cerámica durante cientos de años. Aún hoy usan diseños del pasado. Los niños navajos aprenden a tejer observando a sus padres y sus abuelos y hablando con ellos. Las tradiciones que nos transmiten nuestras familias forman nuestra herencia cultural.

3. **Encierra** en un círculo cómo aprenden a tejer los niños navajos.

Codificadores navajos

El idioma también es una tradición que se puede transmitir. El idioma navajo es muy antiguo. Se usó para ayudar a los Estados Unidos en la Segunda Guerra Mundial. Los jóvenes navajos querían honrar a su país. Usaron su idioma para crear un código.

Codificadores navajos envían un mensaje.

Los soldados navajos, o *Navajo Code Talkers*, enviaban mensajes usando ese código.

Nadie más podía entender lo que se decía en los mensajes.

Los codificadores navajos ayudaron a ganar la guerra.

4. **Escribe** cómo honraron a su país los codificadores navajos.

_____

_____

_____

¿Entiendes?

TEKS 15.A, 15.B, 18.A, 18.B

5. **Comparar y contrastar** ¿En qué se parecen tu cultura y otra cultura sobre la que has leído?

_____

_____

_____

_____

6. ¿Qué tradición compartes con tu familia?   mi Historia: Ideas

_____

_____

_____

_____

7. **Habla** con un miembro de tu familia, como uno de tus padres o uno de tus abuelos, sobre tu herencia cultural. **Pregúntale** si tu familia tiene algún artefacto u objeto que haya pasado de generación en generación. **Escribe** sobre lo que descubras.

Las culturas de nuestro país

¡Imagínalo!

Las familias de los Estados Unidos celebran el Día de Acción de Gracias.

TEKS
1.A, 14.D, 16.A, 16.B, 18.E

Personas de todo el mundo vienen a vivir a los Estados Unidos. Traen su cultura, su herencia y sus costumbres. Una **costumbre** es la manera especial en la que un grupo de personas hacen algo.

San Antonio, Texas

Hace muchos años, Francia trató de ocupar parte de México. El 5 de mayo de 1862, un pequeño ejército mexicano luchó contra un gran ejército francés en Puebla. Ganaron los mexicanos.

Cada año, las personas de San Antonio organizan un **festival** para celebrar la libertad y la valentía del ejército mexicano. Esta celebración se llama Cinco de Mayo. Una costumbre es que bandas de mariachis toquen mientras los bailarines bailan.

En la fiesta del Cinco de Mayo, las personas usan ropa tradicional colorida.

1. **Subraya** una costumbre que se ve en la celebración del Cinco de Mayo.

148

Escribe qué te dice la foto sobre los Estados Unidos.

DESCIFRA LA PREGUNTA PRINCIPAL

Aprenderé que muchas culturas hacen que nuestro país sea especial.

Vocabulario

costumbre

festival

Nueva Orleans, Luisiana

Hace muchos años, personas de diferentes culturas se asentaron en Nueva Orleans. Trajeron música de África, Francia, España, Irlanda y Alemania. Su música se mezcló y formó la música estadounidense llamada jazz. Los músicos de jazz tienen una costumbre. Cada uno de los músicos de una banda tiene su turno para crear nueva música mientras la banda toca.

El jazz es muy importante en la comunidad de Nueva Orleans. Se oye en partidos de béisbol, bailes y funerales. En la primavera, muchos visitantes van a Nueva Orleans por el Mardi Gras. ¡Los músicos de jazz marchan por las calles mientras la gente festeja y aplaude!

2. **◎Idea principal y detalles**
   Subraya la parte que dice por qué el jazz demuestra el individualismo.

Músicos de jazz marchan en un desfile del Mardi Gras en Nueva Orleans.

PEARSON realize Conéctate en línea a tu lección digital interactiva.

149

San Francisco, California

En San Francisco, muchos chinoamericanos viven en el Barrio Chino. Allí, los niños hablan inglés y chino.

En enero o febrero, se celebra el Año Nuevo Chino. El gran desfile del Año Nuevo Chino es una costumbre que combina las culturas china y estadounidense. ¡Más de 100 personas cargan un dragón enorme por las calles! Las personas inventan maneras de mover el dragón. Juntos, pueden hacer que el dragón salte y se arrastre como una serpiente. La cabeza del dragón sube, se sacude y baja rápidamente sobre la multitud. Esta celebración es una forma de demostrar que los estadounidenses aman la inventiva, o la capacidad de crear cosas nuevas.

Desfile del Año Nuevo Chino

Una costumbre estadounidense que muchas culturas celebran es el Día de Acción de Gracias. Las personas pasan este día festivo nacional con su familia y sus amigos. En este día se recuerda a los primeros colonos de nuestro país, agradecidos por su primera cosecha.

Desfile del Día de Acción de Gracias

3. **Subraya** una costumbre que disfrutan muchas culturas estadounidenses.

¿Entiendes?

TEKS 14.D, 16.A, 16.B, 18.E

4. **Comparar y contrastar** ¿En qué se parecen y en qué se diferencian las culturas de San Francisco y Nueva Orleans?

_____

_____

_____

_____

_____

_____

5. ¿Qué celebración cultural o costumbre comparte tu comunidad?

mi Historia: Ideas

_____

_____

6. **Escribe** una manera inventiva en que los estadounidenses pueden lograr que una costumbre o celebración sea propia.

_____

_____

PEARSON realize. Conéctate en línea a tu lección digital interactiva.

151

Comparar y contrastar

Cuando comparamos, descubrimos en qué se parecen dos cosas. Cuando contrastamos, descubrimos en qué se diferencian. Observa los párrafos sobre el fútbol y el rugby. Los detalles que muestran las similitudes están subrayados. Los detalles que muestran las diferencias están encerrados en un círculo.

En los Estados Unidos, muchos niños juegan fútbol. El fútbol es un deporte en el que hay que patear la pelota y moverla con los pies. Los jugadores corren mucho. Para marcar un gol, deben patear la pelota y meterla en el arco.

En Nueva Zelanda, muchos niños juegan rugby. El rugby es un deporte en el que hay que sostener la pelota con las manos y pasarla entre el equipo. Los jugadores corren mucho. Los jugadores anotan puntos cuando llegan al final del campo.

Objetivo de aprendizaje

Aprenderé a comparar y contrastar textos.

TEKS

ES 18.E Interpretar material oral e impreso para comparar y contrastar.

¡Inténtalo!

Lee los párrafos en voz alta con un compañero. Luego compara y contrasta tus ideas con lo que escuchas sobre el críquet y el béisbol.

> El críquet es un deporte que se juega con un bate y una pelota. Cada equipo está formado por once jugadores. Un partido puede durar varios días.
>
> El béisbol es un deporte que se juega con un bate y una pelota. Cada equipo está formado por nueve jugadores. Algunos partidos de béisbol pueden durar cuatro horas.

1. **Escribe** una cosa en la que se parecen el críquet y el béisbol.

2. **Escribe** una cosa en la que se diferencian el críquet y el béisbol.

PEARSON **realize** Conéctate en línea a tu lección digital interactiva.

153

Qué celebramos

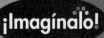
¡Imagínalo!

Julio

D	L	M	M	J	V	S
					1	2
3	4 	5	6	7	8	9
10	11	12	13	14	15	16
17	18	19	20	21	22	23
24	25	26	27	28	29	30
31						

Mira el mes de julio.

TEKS
1.A, 4.A, 14.D

Un **día festivo** es un día especial. En los días festivos nacionales, celebramos a personas y eventos o acontecimientos importantes de la historia de nuestro país.

Nace una nación

Hace muchos años, las personas de nuestro país vivían en 13 colonias. Una **colonia** es un lugar gobernado por un país lejano. Inglaterra gobernaba las colonias norteamericanas. Los habitantes de las colonias creían que las leyes de Inglaterra eran injustas. Se enfrentaron a Inglaterra en una guerra y ganaron su libertad.

Todos los años, celebramos la libertad de nuestro país en el Día de la Independencia. Se organizan desfiles y picnics. Vemos fuegos artificiales. Hacemos ondear banderas como símbolo del cumpleaños de nuestro país y de nuestro amor por la libertad.

Los estadounidenses celebran el Día de la Independencia.

1. **Subraya** lo que celebramos el Día de la Independencia.

Nombra un día especial en el que vemos fuegos artificiales.

Recordar a nuestros héroes

Un **héroe** es alguien que es recordado por su valentía o buenas obras. En los Estados Unidos, hay dos días festivos nacionales para honrar a héroes especiales que protegen nuestro país. Las personas organizan desfiles y dan discursos.

El Día de los Caídos, recordamos a los ciudadanos estadounidenses que murieron en la guerra. El Día de los Caídos se celebra el último lunes del mes de mayo.

Un **veterano** es una persona que prestó servicio en las fuerzas armadas. En noviembre, el Día de los Veteranos de Guerra honra a quienes lucharon por mantener libre a nuestro país.

En noviembre, honramos a los veteranos.

2. **Subraya** los dos días festivos que honran a héroes especiales de nuestro país.

PEARSON realize Conéctate en línea a tu lección digital interactiva.

155

Thomas Jefferson

Recordar a los líderes del gobierno

Thomas Jefferson fue el tercer presidente de los Estados Unidos. Antes de ser presidente, escribió la Declaración de Independencia. El presidente Theodore Roosevelt trató a los trabajadores de manera justa y apoyó la conservación del medio ambiente. También recibió un premio por ayudar a poner fin a una guerra. El Día de los Presidentes, en febrero, rendimos homenaje a nuestros presidentes como individuos que mostraron inventiva al pensar nuevas formas de ayudar a nuestro país.

3. **Escribe** el nombre de otro presidente.

_____

- - - - - - - - - - - - - - - - - - -

_____

Recordar a los líderes de la comunidad

Los afroamericanos no recibieron un trato justo durante mucho tiempo en los Estados Unidos por el color de su piel.

El Dr. Martin Luther King, Jr. creía que todos los estadounidenses debían recibir el mismo trato. El Dr. King denunció las leyes injustas y ayudó a crear leyes nuevas.

Theodore Roosevelt

El Dr. King dio un famoso discurso en 1963. Compartió su sueño de que algún día todas las personas se trataran con respeto. Todos los años, en enero, honramos al Dr. King y celebramos su cumpleaños.

Dr. Martin Luther King, Jr.

4. 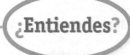 **Idea principal y detalles**
   Subraya una razón por la que honramos al Dr. Martin Luther King, Jr.

¿Entiendes?

TEKS 1.A, 4.A, 14.D

5. **Comparar y contrastar** ¿En qué se parecen el Día de los Caídos y el Día de los Veteranos de Guerra? ¿En qué se diferencian?

_____

_____

_____

_____

_____

6. **¿Cómo celebran tú y tu familia los días festivos en tu comunidad?**

   mi Historia: Ideas

_____

_____

7. En una hoja aparte, **escribe** dos maneras en las cuales Theodore Roosevelt ayudó a nuestra nación.

Texas

Lección 4

Las historias de nuestro país

¡Imagínalo!

Johnny tiene muchas semillas.

Johnny siembra una semilla de manzano.

TEKS
15.A, 15.B, 18.B, 18.E, 19.B

Las historias estadounidenses son parte importante de nuestra herencia cultural. Algunas historias cuentan **hechos,** o partes que son verdaderas. Algunas tienen partes que son de **ficción,** o imaginarias.

Cuentos folklóricos

Un **cuento folklórico** es una historia vieja sobre las vidas de personas reales. Lee estos cuentos folklóricos sobre tres estadounidenses famosos.

Davy Crockett

Davy Crockett nació en una cabaña en Tennessee, en 1786. De niño, trabajó mucho para comprar un caballo y se convirtió en un gran cazador de osos. Davy fue un soldado que luchó en la Batalla de El Álamo, en Texas. También fue un líder del gobierno.

1.  **Idea principal y detalles**
   Subraya un hecho de la vida de Davy Crockett.

158

Aprenderé que las historias transmiten la cultura estadounidense.

Vocabulario

hechos · · · · · · · · · · · · cuento

ficción · · · · · · · · · · · · folklórico

cuento exagerado

Johnny Appleseed

A Johnny Appleseed le decían así porque llevaba bolsas de semillas de manzano a todas partes (*apple seed* quiere decir *"semilla de manzano"*). Se llamaba John Chapman. Johnny plantó muchos manzanos en todo el país. Quería darles suficiente comida a las personas.

2. **Subraya** el nombre real de Johnny Appleseed.

Betsy Ross

Betsy Ross vivía de la costura. En 1776, el general George Washington, líder del ejército estadounidense, le pidió que cosiera la primera bandera estadounidense. Betsy hizo una bandera con 13 estrellas y barras, una por cada colonia.

3. **Subraya** de qué vivía Betsy Ross.

PEARSON realize Conéctate en línea a tu lección digital interactiva.

159

Cuentos exagerados

Un **cuento exagerado** es una historia que, al principio, parece verdadera, pero es casi toda ficción. Lee estos cuentos exagerados en voz alta con un compañero y predice, o imagina, cómo terminará cada uno.

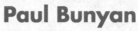

Paul Bunyan

Cuando era bebé, Paul Bunyan era tan grande, ¡que comía 40 tazones de avena por día! Paul tenía un buey gigante de color azul llamado Babe. Jugaban dando pisotones por toda Minnesota y dejaban pozos enormes. ¡Los pozos se llenaron con la lluvia y se formaron 10,000 lagos!

Pecos Bill

Según las historias, Pecos Bill fue el mejor vaquero. Tenía un caballo que solo él podía montar. Un día, hubo un tornado. Pecos Bill saltó sobre él. El tornado arrasó los bosques. La lluvia erosionó los cañones. Pero él no se rindió hasta acabar con el tornado. Así fue como los vaqueros tuvieron la idea de montar caballos en los rodeos.

4. **Subraya** las partes de cada historia que son ficción.

John Henry

Hay canciones y libros donde se cuenta la historia de John Henry, un trabajador ferroviario. Algunos afirman que era más grande y alto que cualquier otro hombre. John Henry usó su martillo para romper la roca hasta construir un gran túnel. Con un martillo en cada mano, ¡John Henry hizo todo el túnel sin ayuda!

5. **Subraya** una parte de la historia que es ficción.

¿Entiendes?

TEKS 15.A, 15.B, 18.B, 18.E, 19.B

6. **Comparar y contrastar** ¿En qué se parecen los cuentos folklóricos y los cuentos exagerados? ¿En qué se diferencian?

_____

_____

_____

_____

7. ¿Por qué son importantes las historias estadounidenses?

mi Historia: Ideas

_____

_____

8. En una hoja aparte, **escribe** tu propio cuento exagerado. Puedes usar un personaje sobre el cual hayas leído o inventar tu propio personaje. **Comparte** tu cuento con un compañero. **Habla** de lo que escribiste.

Dos culturas

¡Imagínalo!

Mira las dos fotos de las casas.

TEKS
6.C, 14.D, 15.A, 15.B, 18.E

Las culturas del mundo satisfacen las necesidades de su pueblo de distintas maneras. Lee sobre las similitudes y las diferencias entre las culturas de la ciudad de México y Pekín.

La cultura de la ciudad de México

La ciudad de México es la capital de México. Tiene parques y museos. Puedes salir de compras o comer en los distintos vecindarios de la ciudad. En las calles, hay personas que venden comidas sabrosas, como tacos y tamales. Por la noche, en la ciudad se oye música tradicional y se bailan danzas típicas.

El deporte más popular en la ciudad de México es el fútbol. Muchos niños juegan después de la escuela y los fines de semana. Mira la foto de los niños que juegan fútbol. Piensa qué indica sobre la cultura de la ciudad de México.

Vocabulario

ruinas

sitio de interés

(Encierra) en un círculo una cosa que es parecida en las dos casas. Haz una **X** en lo que es diferente.

Hace mucho tiempo, en México, vivió un antiguo pueblo llamado azteca. En la actualidad, personas de todo el mundo van a visitar las **ruinas** de los aztecas, es decir, las construcciones donde vivió la gente hace muchos años.

Mira la imagen de la bandera mexicana. El águila, la serpiente y el cactus eran símbolos que usaban los aztecas. El color verde de la bandera representa la independencia y el amor a la libertad. Como los Estados Unidos, México luchó por independizarse de otro país.

1. **Subraya** los símbolos de la bandera de México.

La bandera mexicana y un mapa que muestra la ubicación de la ciudad de México

Ruinas aztecas en México

PEARSON realize Conéctate en línea a tu lección digital interactiva.

163

La bandera china y un mapa que muestra la ubicación de Pekín, en China

La cultura de Pekín

Pekín es la capital de China. Es una ciudad que mezcla lo viejo con lo nuevo. Tiene muchos rascacielos, o edificios altos, junto a edificios muy viejos. En Pekín, muchas personas montan en bicicleta. La bicicleta es un medio de transporte muy popular en la ciudad.

La plaza de Tiananmen es el lugar donde ocurren eventos y celebraciones desde hace cientos de años. En la actualidad, las personas remontan cometas. Practican tai chi, un ejercicio lento que ayuda a relajarse y mantenerse sano. La gente también se sienta allí a comer las comidas que se venden en la plaza, como fideos, empanaditas chinas y mariscos.

Mira la imagen de la bandera china. La estrella grande es un símbolo de China. Las estrellas pequeñas son símbolos del pueblo chino.

En Pekín, muchas personas montan en bicicleta.

Muchas personas visitan la Gran Muralla China. Este **sitio de interés,** punto histórico o estructura importante de un lugar, tiene más de 2,000 años y miles de millas de largo.

2. ⊙ **Idea principal y detalles**
   Subraya tres cosas que puedes hacer si visitas Pekín.

¿Entiendes?

TEKS 6.C, 14.D, 18.E

3. ⊙ **Comparar y contrastar** ¿En qué se parecen la ciudad de México y Pekín? ¿En qué se diferencian?

_____

_____

_____

_____

4. ¿En qué se parecen la cultura estadounidense y el resto de las culturas?

mi Historia: Ideas

_____

_____

_____

_____

5. En una hoja aparte, **escribe** cómo la bandera mexicana muestra lo que México y los Estados Unidos tienen en común.

Destrezas de gráficas

Usar fuentes gráficas

Una tabla muestra información en columnas e hileras. Las columnas van de arriba hacia abajo. Las hileras van de izquierda a derecha.

Países y culturas			
País	Saludo	Sitio de interés	Comida
China	Ni hao		
México	Hola		
Estados Unidos			

Objetivo de aprendizaje

Aprenderé a usar una tabla.

 TEKS

ES 18.B Obtener información sobre algún tópico utilizando fuentes visuales.

ES 19.B Crear e interpretar materiales visuales, tales como organizadores gráficos para expresar ideas.

SLA 25.C Registrar información básica en formatos visuales sencillos (ej., gráficas, pictografías).

Esta tabla muestra información sobre las culturas de diferentes países.

Las columnas indican qué información aprenderás.

Las hileras indican a qué países pertenece la información.

¡Inténtalo!

1. ¿Qué tres países se nombran en la tabla?

_____

_____

2. **Encierra** en un círculo un sitio de interés en China.

3. ¿Cómo se saluda a alguien en chino?

_____

_____

4. **Encierra** en un cuadrado una comida de México.

5. **Completa** la última hilera de la tabla. **Escribe** o **dibuja** información sobre los Estados Unidos en cada columna.

6. Quieres agregar la capital de cada país a esta tabla. ¿Agregarías una columna o una hilera?

_____

PEARSON realize. Conéctate en línea a tu lección digital interactiva.

167

Lección 1 TEKS 18.B

1. **Encierra** en un círculo la foto que muestra un artefacto.

Lección 2 TEKS 16.B, 18.E

2. ◉ **Comparar y contrastar** **Mira** las fotos. **Escribe** en qué se parecen y en qué se diferencian estas celebraciones culturales.

Similitudes:

_____

_____

Diferencias: _____

_____

_____

3. Une con una línea cada día festivo con lo que celebramos.

Día de la Independencia

el respeto hacia todas las personas

Día de los Veteranos de Guerra

los héroes que protegen nuestro país

Día de Martin Luther King, Jr.

la libertad de nuestro país

Lección 4 TEKS 18.E, 19.B

4. Haz un dibujo de tu cuento folklórico o tu cuento exagerado favorito. **Escribe** por qué te gusta.

Lección 5 TEKS 15.A, 18.E

5. **Completa** la oración. **Encierra** en un círculo la mejor respuesta.

Una comida que forma parte de la cultura mexicana es

A la pizza.

C los *hot dogs*.

B las empanaditas chinas.

D los tamales.

6. **Escribe** lo que te muestran las siguientes fotos sobre la cultura en China y en México.

China

México

¿Cómo se comparte la cultura?

Conéctate en línea para escribir e ilustrar tu **myStory Book** usando **miHistoria: Ideas** de este capítulo.

TEKS

ES 1.A, 16.A, 16.B, 18.A, 19.A, 19.B

SLA 17

En este capítulo aprendiste sobre las culturas de diferentes partes del mundo.

Piensa en tu propia cultura. **Habla** con un amigo o un miembro de tu familia sobre las celebraciones de tu cultura. **Habla** sobre una cosa que conozcas sobre tu cultura. **Habla** sobre una costumbre que hayas experimentado.

Haz un dibujo de una costumbre de tu cultura. **Escribe** una leyenda. Comparte tu dibujo. **Cuéntale** a un compañero sobre el dibujo.

PEARSON realize Conéctate en línea a tu lección digital interactiva.

171

Nuestra nación: Pasado y presente

mi Historia: ¡Despeguemos!

PREGUNTA PRINCIPAL ¿Cómo cambia la vida a lo largo de la historia?

mi Historia: Video

Dibuja algo de tu comunidad o tu familia que haya cambiado a lo largo del tiempo.

★ Conocimiento y destrezas esenciales de Texas

1.A Explicar la significancia de diferentes celebraciones de la comunidad, del estado y de la nación tales como el Día de los Veteranos de Guerra, el Día de los Caídos, el Día de la Independencia y el Día de Acción de Gracias.

1.B Identificar y explicar la significancia de varios puntos históricos de la comunidad, del estado y de la nación tales como monumentos y edificios de gobierno.

2.A Describir el orden de los acontecimientos utilizando designaciones de periodos de tiempo, tales como tiempos históricos y tiempos presentes.

2.B Aplicar el vocabulario relacionado al concepto de cronología, incluyendo pasado, presente y futuro.

2.C Crear e interpretar líneas cronológicas de acontecimientos del pasado y del presente.

3.A Identificar varias fuentes de información sobre un periodo o un evento dado, tales como materiales de referencia, biografías, periódicos y fuentes electrónicas.

3.B Describir varias evidencias del mismo periodo usando fuentes originales, tales como fotografías, diarios e intervalos.

4.A Identificar las contribuciones de personajes históricos, incluyendo a Thurgood Marshall, Irma Rangel, John Hancock y Theodore Roosevelt, quienes han influenciado la comunidad, el estado y la nación.

4.B Identificar personajes históricos tales como Amelia Earhart, W. E. B. DuBois, Robert Fulton y George Washington Carver que han exhibido características de individualismo (peculiaridad) e inventiva.

4.C Explicar como las personas y los acontecimientos han influenciado la historia de la comunidad local.

5.A Interpretar la información de mapas y globos terráqueos usando elementos de mapas simples, tales como título, orientación (norte, sur, este, oeste) símbolos/ claves de un mapa.

7.C Explicar cómo la gente depende del ambiente físico y de los recursos naturales para satisfacer las necesidades básicas.

7.D Identificar las características de las diferentes comunidades, incluyendo zonas urbanas, suburbanas y rurales, y cómo estas características afectan las actividades y la distribución de los poblados.

13.B Identificar personajes históricos tales como Paul Revere, Abigail Adams, las Pilotos al servicio de la fuerza aérea en la segunda guerra mundial, siglas en inglés (WASPs) y los Navajo Code Talkers quienes han sido un ejemplo de buena ciudadanía.

13.C Identificar otros ciudadanos que han sido ejemplo de buena ciudadanía.

15.A Identificar una selección de historias, poemas, estatuas, pinturas y otros ejemplos de la herencia cultural local.

15.B Explicar el significado de la selección de historias, poemas, estatuas, pinturas y otros ejemplos de la herencia cultural local.

17.A Describir cómo la tecnología y la ciencia han cambiado los medios de comunicación, los medios de transporte y la recreación.

17.B Describir cómo la tecnología y la ciencia cambia la manera en que la gente satisface sus necesidades básicas.

18.A Obtener información sobre algún tópico utilizando una variedad de fuentes auditivas tales como conversaciones, entrevistas y música.

18.B Obtener información sobre algún tópico utilizando una variedad de fuentes visuales tales como imágenes, mapas, fuentes electrónicas, literatura, fuentes de referencia y artefactos.

18.C Usar diferentes partes de una fuente informativa, incluyendo la tabla de contenidos, el glosario y el índice, como también el teclado del Internet para localizar información.

18.D Ordenar en secuencia y categorizar la información.

19.B Crear e interpretar materiales visuales y escritos, tales como historias, poemas y organizadores gráficos para expresar ideas.

 Empecemos con una canción

Llegaron a las Américas

Canta con la melodía de "Cielito lindo".

Llegaron a las Américas
desde Europa hace muchos años
colonos esperanzados
que los indígenas vieron extraños.
¡Ay, ay, ay, ay,
cuántos colonos!
Y los indígenas compartieron
lo que tenían con todos.

PEARSON realize Conéctate en línea a tu lección digital interactiva.

173

Vistazo al vocabulario

historia

monumento

explorador

colono

inmigrante

Identifica y **encierra** en un círculo ejemplos de estas palabras en la ilustración.

pionero

antiguo

invento

derechos civiles

innovador

Texas

Lección 1

La vida, antes y ahora

¡Imagínalo!

Mira las fotos de arriba.

TEKS
1.B, 2.A, 2.B, 4.C, 7.C, 7.D, 15.A

La **historia** es lo que ocurrió en el pasado. Nos cuenta sobre eventos o acontecimientos de hace mucho. Cada comunidad y cada familia tienen su propia historia. Cada persona también tiene una historia.

Tú, antes y ahora

¿Cómo eras en el pasado? Cuando naciste, eras pequeño. Creciste y aprendiste a caminar y hablar. Hablamos del pasado con las palabras *ayer* y *antes*.

¿Qué puedes hacer hoy? Vas a la escuela, y sabes leer y escribir. Cuando hablamos del presente, usamos las palabras *hoy* y *ahora*. Con la palabra *mañana*, hablamos del futuro.

1. **Encierra** en un círculo las palabras que usamos para hablar del pasado. **Subraya** las palabras que usamos para hablar del presente. **Dibuja** un recuadro alrededor de las palabras que indican futuro.

176

Aprenderé que las personas, las familias y las comunidades tienen una historia.

Vocabulario

historia	siglo
generación	monumento

Dibuja algo que hiciste en el pasado.

Las familias, antes y ahora

Los sucesos del pasado de tu familia son tu historia familiar. Puedes preguntar a tu madre, padre o tutor cómo era la vida cuando ellos tenían tu edad. Un miembro de la familia que pertenece a otra **generación,** o grupo de personas que tienen aproximadamente la misma edad, puede decirte qué cosas de la vida cambiaron con el tiempo y cuáles siguieron iguales.

Hace mucho tiempo, las familias necesitaban ropa, comida y casa. Hoy tu familia también necesita esas cosas. Sin embargo, hay diferencias entre la vida de antes y de ahora. Antes, muchas familias cultivaban su alimento en huertas. Hoy, la mayoría compra la comida en el mercado. Hace mucho tiempo, las familias jugaban juegos, pero no tenían juegos de computadora.

2. **Subraya** dos cosas que cambiaron en la vida familiar a lo largo del tiempo.

PEARSON realize Conéctate en línea a tu lección digital interactiva.

177

Las comunidades, antes y ahora

Cada persona tiene una historia. Cada lugar también tiene una historia. Las personas que viven en tu comunidad desde hace mucho pueden contarte su historia. La mayoría de las comunidades comienzan con un grupo pequeño de personas, que se llaman fundadores. Cuando más personas se mudan a la comunidad, esta crece. Puede pasar de rural a urbana. Podrían construirse más casas, escuelas, tiendas y caminos.

Las comunidades cambian

A veces las comunidades cambian por un problema. Eso fue lo que les sucedió a los habitantes de la comunidad de Enterprise, Alabama. Hace aproximadamente un **siglo,** o 100 años, Enterprise era una comunidad rural que cultivaba mucho algodón. Luego, un insecto llamado gorgojo destruyó casi todo el algodón. Los granjeros sabían que debían cultivar algo que el gorgojo no pudiera comer.

Muchos granjeros del Sur tenían cultivos de algodón que se destruyeron a causa del gorgojo.

Descubrieron que el maní se cultivaba bien y que el gorgojo no lo comía. Aún hoy en Enterprise cultivan maní. Los habitantes construyeron un monumento. Un **monumento** es una estatua que se construye en honor a una persona o un acontecimiento. ¡La solución al problema del gorgojo fue muy importante en la historia de Enterprise!

3. ◎ **Sacar conclusiones** <u>Subraya</u> una razón por la cual los habitantes de Enterprise construyeron un monumento.

¿Entiendes?

TEKS 2.B

4. ◎ **Hechos y opiniones** **Escribe** un hecho acerca de una persona que forma parte de tu historia familiar.

_____

_____

_____

5. ❓ ¿Cómo cambió tu familia o tu comunidad desde el pasado hasta el presente?   **mi** Historia: Ideas

_____

_____

_____

_____

6. En una hoja aparte, **escribe** una lista de tres maneras en las que has cambiado desde el pasado hasta el presente.

Leer una línea cronológica

Una línea cronológica muestra el orden en el que ocurrieron los acontecimientos. Se lee de izquierda a derecha, como una oración. El acontecimiento que ocurrió primero está a la izquierda.

Mira la línea cronológica de Austin, Texas. Muestra algunos acontecimientos importantes que ocurrieron en Austin en tiempos históricos y en tiempos presentes. Las leyendas dicen más sobre los acontecimientos.

Línea cronológica de la comunidad de Austin

1920	1940	1960

1935
Con casi 20 pulgadas de lluvia, el río Colorado inundó el centro de Austin.

1961
Se construyeron muchas escuelas cuando la población de Austin creció un 40 por ciento a comienzos de la década de 1960.

TEKS

ES 2.A Describir el orden de los acontecimientos utilizando designaciones de periodos de tiempo.
ES 2.C Crear e interpretar líneas cronológicas de acontecimientos del pasado y del presente.
SLA 25.C Registrar información básica en formatos visuales sencillos.

¡Inténtalo!

1. ¿Qué muestra esta línea cronológica?

_____

_____

_____

2. **Encierra** en un círculo el acontecimiento del presente que tiene más de 25 años.

3. **Crea** una línea cronológica con acontecimientos de tu vida históricos, o del pasado, y del presente.

1980	2000	2020

2000
Los ciudadanos de Austin celebraron las elecciones presidenciales del año 2000 en el Capitolio Estatal de Texas.

2013
El festival South by Southwest® cumple 26 años.

 PEARSON **realize** Conéctate en línea a tu lección digital interactiva.

181

Texas

⭐

Lección 2

Aprender acerca del pasado

¡Imagínalo!

Mira las fotos. Muestran El Álamo en San Antonio, Texas, hace mucho tiempo y en la actualidad.

TEKS
3.A, 3.B, 18.A, 18.B, 18.C

Puedes aprender del pasado hablando con personas, leyendo libros y mirando objetos. Todas son fuentes para aprender cómo era la vida hace mucho tiempo.

Fuentes primarias

Una fuente primaria u original nos ayuda a aprender sobre las personas, los lugares y los sucesos del pasado. Una **fuente primaria** es un material escrito o hecho por alguien que vio cómo ocurrió un suceso. Las fotos, las pinturas y los dibujos son algunas fuentes primarias. Muestran cómo eran las personas y qué ropa usaban en el pasado.

Este diario cuenta acerca de un viaje a través de los Estados Unidos en 1805.

Los diarios, las cartas y los mapas también son fuentes primarias. Un **diario** es un registro de los pensamientos y los sucesos de todos los días de la vida de una persona.

182

DESCIFRA LA
PREGUNTA PRINCIPAL
?

Aprenderé cuál es la diferencia entre las fuentes primarias y las fuentes secundarias.

Vocabulario

fuente   fuente
primaria   secundaria
diario   biografía

Encierra en un círculo algo que está igual en las dos fotos. Marca con una X algo que cambió.

Fuentes secundarias

Una fuente secundaria también sirve para aprender acerca del pasado. Sin embargo, una **fuente secundaria** está escrita o hecha por alguien que no vio cómo ocurrió un suceso. Una **biografía,** o un libro acerca de la vida de otra persona, es una fuente secundaria. ¡Este libro de texto también es una fuente secundaria!

Las personas que estudian la historia y escriben acerca de ella se llaman historiadores. Los historiadores usan fuentes primarias y secundarias para aprender y escribir acerca de las personas y los sucesos de hace mucho tiempo. Cada fuente da pistas acerca de la vida de una persona o un suceso que ocurrió en el pasado.

1. ◉ **Idea principal y detalles**
   Subraya tres fuentes que puedes usar para aprender acerca del pasado.

Una biografía es una fuente secundaria.

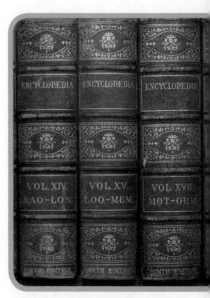

Las enciclopedias son fuentes secundarias.

PEARSON
realize™   Conéctate en línea a tu lección digital interactiva.

183

Usar fuentes

Una biblioteca es un buen lugar para buscar información acerca del pasado.

La biblioteca de tu escuela o de tu comunidad tiene fuentes primarias y secundarias. Algunas de esas fuentes son materiales de referencia como libros, mapas, periódicos, revistas y enciclopedias. También puedes encontrar música y canciones. Muchas canciones cuentan historias acerca de sucesos y personas del pasado. Los museos contienen fuentes que se llaman artefactos. Un artefacto es un objeto, como una moneda o una estampilla, que hicieron o usaban las personas hace mucho tiempo.

En las bibliotecas o en los museos puede haber fuentes primarias de la historia local. Una fuente pueden ser las entrevistas a personas que vivieron hace tiempo en tu comunidad. Puedes escuchar, mirar o leer estas entrevistas. Tu propia familia también es una fuente primaria de historia. Puedes entrevistar a miembros de tu familia. Pregúntales acerca de su infancia y su juventud. Quizá haya fotos que muestran sucesos de la familia. También podrían tener un diario escrito por algún pariente. El diario podría contar cómo era la vida hace mucho tiempo.

2. **Subraya** tres fuentes primarias que puedes usar para aprender acerca de la historia de tu familia.

Usar fuentes electrónicas

También puedes aprender acerca de la historia usando tu computadora e Internet. Si escribes palabras clave acerca de un tema, descubrirás muchos sitios web que hablan de ese tema. Muchas bibliotecas y museos tienen su propio sitio web donde puedes buscar fuentes para aprender acerca de la historia.

Hay herramientas que te ayudan a aprender historia en Internet. Un buscador web es un programa de computación que muestra sitios web. Un motor de búsqueda es un sitio web que te permite buscar información acerca del tema que quieras. Es como el catálogo de una biblioteca. Escoge sitios web confiables. Los sitios de historia del gobierno o de los estados son buenas fuentes. Verifica en más de un sitio si no tienes la certeza de que la información que hallaste es correcta.

3. **Escribe** algunas palabras clave que usarías para buscar información acerca de la ropa que usaban los niños para ir a la escuela en el pasado.

_____

_____

_____

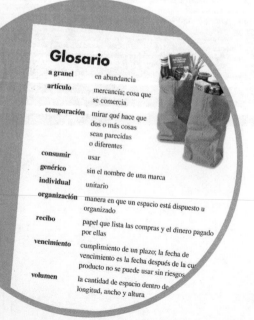

Índice

**respuesta a la pregunta d[...]
la página 11:** El paquete [...]
10 paquetes de toallas e [...]
mejor oportunidad. P [...]
por rollo, o $ Si [...]
$2 cada [...]

Glosario

a granel — en abundancia

artículo — mercancía; cosa que se comercia

comparación — mirar qué hace que dos o más cosas sean parecidas o diferentes

consumir — usar

genérico — sin el nombre de una marca

individual — unitario

organización — manera en que un espacio está dispuesto u organizado

recibo — papel que lista las compras y el dinero pagado por ellas

vencimiento — cumplimiento de un plazo; la fecha de vencimiento es la fecha después de la cu[...] producto no se puede usar sin riesgos

volumen — la cantidad de espacio dentro de [...] longitud, ancho y altura

Usar partes de una fuente

Los libros impresos también son buenas fuentes para aprender acerca de la historia. Una enciclopedia es un libro de referencia que tiene los temas en orden alfabético. Muchos libros tienen partes especiales que te ayudan a encontrar la información fácilmente. Estas partes son la tabla de contenidos, el índice y el glosario.

La tabla de contenidos está al comienzo de un libro. Allí se enumeran los títulos de todos los capítulos del libro. Los títulos de los capítulos a veces te permiten saber qué aprenderás en ese capítulo. La tabla de contenidos también incluye el número de página donde comienza cada capítulo.

El índice está al final del libro. Allí se enumeran los temas que trata el libro en orden alfabético y los números de las páginas donde puedes encontrarlos. Es útil cuando quieres encontrar información sobre un tema, un lugar o una persona específicos.

El glosario también está al final del libro. Incluye el significado de palabras difíciles que se usaron en el libro.

4. **Subraya** las partes de un libro impreso que te ayudan a encontrar la información.

5. Si quisieras saber el significado de una palabra de un libro, ¿dónde lo buscarías?

_____

_____

_____

¿**Entiendes?**

TEKS 3.A, 3.B, 18.A, 18.B

6. ⊙ **Hechos y opiniones** ¿Este enunciado es un hecho o una opinión? *Las fuentes primarias son mejores que las fuentes secundarias.* ¿Qué palabra es una clave?

_____

_____

_____

7. **Escribe** una manera de aprender sobre los cambios a lo largo del tiempo estudiando las fuentes primarias.

mi Historia: Ideas

_____

_____

_____

_____

8. **Escribe** una lista de los distintos tipos de fuentes que podrías usar para encontrar información acerca de algo que quieres aprender.

_____

_____

_____

_____

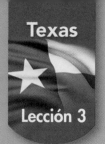
Los primeros habitantes de Norteamérica

¡Imagínalo!

A.

B.

Mira las fotos de las diferentes viviendas.

TEKS
4.C, 5.A, 7.C, 18.C

Los primeros habitantes de Norteamérica fueron los **indígenas norteamericanos.** Tres grupos de indígenas, los indígenas de las llanuras, los indígenas pueblo y los timucuas, vivían en diferentes regiones. Cada grupo dependía de los recursos naturales de su medio ambiente para satisfacer sus necesidades de alimento, vestimenta y vivienda.

Los **indígenas de las llanuras** cazaban búfalos para comer y para hacer ropa y viviendas. Vivían en tipis hechos con piel de búfalo y postes de madera.

Los indígenas **pueblo** cultivaban maíz para comer y algodón para la ropa. Cazaban venados y antílopes. Las viviendas de los indígenas pueblo estaban hechas con ladrillos de arcilla.

Los **timucuas** cazaban osos y venados para comer y para hacer la ropa. Los agricultores cultivaban maíz, frijoles y calabaza. Las viviendas de los timucuas estaban hechas con palmeras.

Tipi de los indígenas de las llanuras

A. _____

B. _____

Escribe el material que se usó para cada vivienda.

Aprenderé acerca de las diferentes culturas indígenas norteamericanas.

Vocabulario

indígenas norteamericanos

1. ◉ **Idea principal y detalles Mira** el mapa. **Escribe** _B_ en el grupo que usaba búfalos para obtener comida y hacer ropa y viviendas.

Tres grupos indígenas norteamericanos

OCÉANO ATLÁNTICO

Escala
0   500 mi
0   500 km

Leyenda

Indígenas de las llanuras

Pueblo

Timucuas

El mapa muestra los límites actuales.

OCÉANO PACÍFICO

Golfo de México

N O E S

PEARSON
realize™   Conéctate en línea a tu lección digital interactiva.

189

Historia de los cheroquíes

Hace mucho tiempo, los indígenas llamados cheroquíes vivían donde hoy se encuentran los estados de Tennessee y Georgia. Al líder lo llamaban jefe. Los cheroquíes cultivaban maíz, calabaza, frijoles y girasol. Pescaban para comer. Usaban pieles de animales para hacer ropa. Construían sus viviendas con ramas y arcilla.

Cuando los europeos vinieron a Norteamérica, lucharon contra los cheroquíes para quitarles su tierra, porque querían establecerse allí. Los cheroquíes tuvieron que mudarse a una región donde hoy se encuentra el estado de Oklahoma. El camino que recorrieron hasta Oklahoma se llama Camino de Lágrimas. Este acontecimiento influenció y cambió su historia.

Los cheroquíes se mudaron al Oeste recorriendo el Camino de Lágrimas.

Wilma Mankiller fue la primera mujer en convertirse en jefa de los cheroquíes. Trabajó con los maestros para mejorar las escuelas cheroquíes de Oklahoma. También mejoró el cuidado de la salud de los cheroquíes. En 1998, el presidente Bill Clinton entregó a Wilma Mankiller la Medalla de la Libertad por su gran esfuerzo.

2. **Subraya** dos cosas que hizo Wilma Mankiller por su gente y su comunidad local.

¿Entiendes?

TEKS 7.C, 18.C

3. ⦿ **Hechos y opiniones** **Escribe** un hecho acerca de cómo los indígenas pueblo usaban los recursos naturales para satisfacer sus necesidades.

_____

_____

_____

4. ❓ **Escribe** una cosa que cambió para los cheroquíes.

mi Historia: Ideas

_____

_____

5. Busca en libros o con palabras clave en Internet e **investiga** acerca de un grupo indígena norteamericano de la región donde vives. **Escribe** una lista de tres cosas que aprendiste.

_____

_____

Los primeros colonos de Norteamérica

¡Imagínalo!

Escribe un rótulo para cada ilustración. Di cómo las personas que vivían hace mucho tiempo podrían haber usado los objetos.

TEKS
1.A, 4.A, 4.C, 13.B, 13.C

Hace mucho tiempo, unos exploradores de Europa viajaron en barco a Norteamérica en busca de oro y tierras. Un **explorador** es la primera persona que viaja a un lugar nuevo. Los **colonos** son personas que construyen su hogar en un nuevo territorio. Los colonos vinieron después de los exploradores.

Los europeos en Norteamérica

Los colonos españoles construyeron la colonia San Agustín en la Florida. Una colonia es una comunidad gobernada por un país lejano. Poco después, los colonos ingleses construyeron la colonia Jamestown en Virginia. Los indígenas norteamericanos a menudo perdían su tierra cuando se construían las colonias.

DESCIFRA LA
PREGUNTA PRINCIPAL
?

Aprenderé acerca de las primeras colonias de Norteamérica.

Vocabulario

explorador

colono

peregrino

La vida era difícil para los primeros colonos. No tenían mucha comida y los inviernos eran muy fríos.

Otra colonia inglesa se llamó Plymouth. Estaba donde ahora está Massachusetts. Los habitantes de Plymouth se llamaban **peregrinos.** Los peregrinos vinieron a Norteamérica para practicar su propia religión. Los indígenas influenciaron a la colonia al ayudarlos a sembrar cultivos como maíz, calabaza y frijoles. En el Día de Acción de Gracias, recordamos una fiesta que compartieron los peregrinos y los indígenas.

1. ◉ **Comparar y contrastar Mira** la ilustración. **(Encierra)** en un círculo tres maneras en que la vida era distinta hace mucho tiempo.

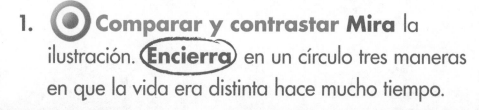

PEARSON
realize
Conéctate en línea a tu lección digital interactiva.

193

Trece colonias, un país

Muchos colonos vinieron a Norteamérica. Con el tiempo, hubo 13 colonias inglesas. Inglaterra creaba leyes para las colonias y obligaba a los colonos a pagar impuestos. A muchos colonos no les gustaba eso. Querían ser independientes y hacer sus propias leyes. Algunos colonos influenciaron a otros para que actuaran.

John y Abigail Adams fueron colonos que expresaron su opinión en contra del gobierno de Inglaterra. John Adams dijo que las colonias debían declarar su libertad. Thomas Jefferson escribió un documento llamado Declaración de Independencia. Este documento decía que los habitantes de las colonias querían ser libres. John Hancock fue la primera persona en firmar la Declaración de Independencia.

Inglaterra no quería que las colonias fueran libres. Inglaterra y las colonias lucharon una larga guerra llamada Guerra de Independencia.

Los miembros del Congreso de cada colonia firmaron la Declaración de Independencia.

George Washington y los soldados de la Guerra de Independencia

George Washington dirigió el ejército de los colonos norteamericanos. Finalmente, los colonos ganaron y lograron ser libres. Las colonias se convirtieron en estados. George Washington se convirtió en el primer presidente de nuestro nuevo país, llamado los Estados Unidos de América.

2. **Subraya** cómo John Hancock demostró su deseo de que las colonias fueran libres.

TEKS 1.A, 4.C

3. ⊙ **Hechos y opiniones** ¿Cuál era la opinión de John Adams acerca del gobierno de Inglaterra?

_____

_____

_____

4. ❓ ¿En qué se diferenciaba la vida en las colonias de la vida actual en los Estados Unidos?   mi Historia: Ideas

_____

_____

_____

_____

5. ¿Por qué se celebra el Día de Acción de Gracias?

_____

_____

_____

_____

Texas

Lección 5

Una nación en crecimiento

¡Imagínalo!

brújula

mapa

Mira los artefactos de arriba.

TEKS
1.B, 4.B, 5.A, 7.D, 15.A, 15.B

Los Estados Unidos crecieron y cada vez más inmigrantes vinieron a vivir aquí. Un **inmigrante** es una persona que se muda de un país a otro. El este de los Estados Unidos empezaba a tener demasiados habitantes. ¡Era tiempo de explorar el Oeste!

Expansión hacia el Oeste

Meriwether Lewis y William Clark partieron de St. Louis, Missouri, en 1804 para explorar el Oeste y hacer mapas de la región. Sacagawea, una indígena norteamericana, los ayudó. Más tarde, esos mapas ayudaron a las personas a viajar hacia las nuevas tierras.

Un **pionero** es la primera persona que se establece en un lugar nuevo. Algunos pioneros se mudaron al Oeste para tener su propia tierra, construir su hogar y establecer granjas o negocios. Muchas familias usaron carretas para viajar por caminos difíciles que cruzaban ríos y montañas.

Sacagawea

196

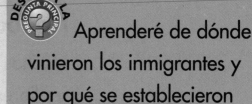

Aprenderé de dónde vinieron los inmigrantes y por qué se establecieron aquí.

Vocabulario

inmigrante

pionero

Escribe cómo una brújula y un mapa podrían ayudar a los exploradores.

El mapa muestra algunos caminos que usaron exploradores y pioneros en su viaje hacia el Oeste.

1. **Encierra** en un círculo los lugares donde los caminos pudieron ser difíciles para los pioneros.

Expansión hacia el Oeste

Escala
0 — 400 mi
0 — 400 km

Leyenda
— Lewis y Clark, 1804–1806
— Camino de Santa Fe
— Camino de Oregón
— Camino de California
⛰ Montañas

El mapa muestra los límites actuales.

Río Columbia
Río Missouri
Washington
Ciudad de Oregón
Oregón Idaho Montana Dakota del Norte Minnesota
Río Mississippi
Río Snake
Dakota del Sur
Wyoming
Nevada Utah Nebraska Iowa
Sacramento Río Columbia Colorado Kansas Independence
California Río Arkansas St. Louis Missouri
Santa Fe Oklahoma Arkansas
Arizona Nuevo México
OCÉANO PACÍFICO Texas Luisiana

N O E S

PEARSON realize Conéctate en línea a tu lección digital interactiva.

197

No todos eran libres

Muchos inmigrantes venían a los Estados Unidos para ser libres. Pero los afroamericanos no eran libres. Aquí los trajeron para hacerlos trabajar como esclavos, sin pagarles. Harriet Tubman fue una esclava que escapó. Más tarde, volvió para ayudar a otros esclavos. Ayudó a unas 300 personas a lograr su libertad.

Muchos pensaban que la esclavitud estaba mal. Abraham Lincoln era uno de ellos. Él fue el decimosexto presidente de los Estados Unidos y trabajó mucho para terminar con la esclavitud.

2. ◉ **Hechos y opiniones Subraya** la opinión de Abraham Lincoln sobre la esclavitud.

Una nación de inmigrantes

Muchos inmigrantes venían para conseguir trabajo y una vida mejor. Otros venían por la hambruna, o falta de comida, que había en sus países. Algunos cruzaban el océano Atlántico en barco. Cuando llegaban a la isla Ellis, en las afueras de la Ciudad de Nueva York, veían la Estatua de la Libertad.

Los inmigrantes que llegaban de Europa veían la Estatua de la Libertad.

La Estatua de la Libertad es un monumento. Se ha convertido en un símbolo de libertad para todos los estadounidenses. Muchos inmigrantes aún vienen a los Estados Unidos en busca de libertad.

3. **Subraya**  una razón por la que los inmigrantes se mudan a los Estados Unidos hoy en día.

¿**Entiendes?**

TEKS 1.B, 15.A, 15.B

4. ◉ **Causa y efecto** **Escribe** un efecto de la inmigración.

_____

_____

5. ❓ **Escribe** dos maneras en las que los Estados Unidos cambiaron a lo largo del tiempo.   mi Historia: Ideas

_____

_____

_____

6. **Escribe** una palabra para completar la oración.

La Estatua de la Libertad es un monumento importante porque

_____

es un símbolo de _____ .

La tecnología, antes y ahora

¡Imagínalo!

Mira la foto de una familia durante un viaje hace tiempo.

TEKS
4.B, 4.C, 17.A, 17.B

Los cambios en la tecnología a lo largo del tiempo facilitan la vida y el trabajo.

El hogar, antes y ahora

Las personas siempre han necesitado comida, agua y ropa. En tiempos antiguos, recolectaban plantas y bayas para comer. **Antiguo** quiere decir de hace mucho tiempo. Más tarde, los indígenas norteamericanos y los colonos comenzaron a usar caballos y arados simples para sembrar semillas y cultivar alimentos. Se usaban cubetas de madera para llevar agua desde los pozos. Se cosía la ropa a mano.

Hoy en día, los agricultores usan tractores para arar los terrenos rápidamente. Las tuberías llevan agua potable a las casas. Las máquinas de coser ayudan a fabricar ropa con mayor rapidez. La tecnología moderna hace la vida más fácil.

1. **Subraya** dos herramientas del pasado.

Los colonos cosían la ropa a mano.

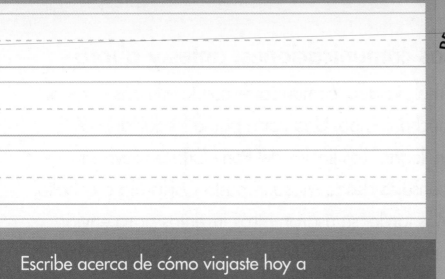

DESCIFRA LA PREGUNTA PRINCIPAL

Aprenderé cómo la tecnología cambió el modo en que viven las personas.

Vocabulario

antiguo   telégrafo

invento

Escribe acerca de cómo viajaste hoy a la escuela.

Los medios de transporte, antes y ahora

Hace mucho tiempo, montar a caballo era la forma más rápida de viajar. No había carros, trenes ni aviones. Las personas querían viajar más rápido. A algunas personas se les ocurrieron nuevas ideas, llamadas inventos. Un **invento** es algo que se hace por primera vez. Karl Benz inventó el carro. Luego Henry Ford inventó una manera rápida de fabricar muchos carros. George Stephenson inventó el tren. Y los hermanos Orville y Wilbur Wright inventaron el avión.

2. ⊙ **Sacar conclusiones Escribe** una manera en la que pueden ser útiles los inventos del transporte.

_____

_____

_____

_____

Uno de los hermanos Wright vuela sobre la playa en Kitty Hawk, Carolina del Norte.

PEARSON realize Conéctate en línea a tu lección digital interactiva.

201

Alexander Graham Bell hizo la primera llamada telefónica de Nueva York a Chicago en 1892.

Thomas Edison hizo cambios al foco y logró que estuviera encendido más tiempo.

Las comunicaciones, antes y ahora

En el pasado, comunicarse con los demás llevaba mucho tiempo. Una carta podía tardar diez días en llegar. ¡Los jinetes del Pony Express llevaban mensajes desde Missouri hasta California a caballo! Más tarde, se usaron otros inventos para enviar mensajes. Samuel Morse mejoró el **telégrafo,** una manera de enviar mensajes en código mediante cables. En 1876, Alexander Graham Bell inventó el teléfono. Durante mucho tiempo, los teléfonos estuvieron conectados con cables. Hoy los teléfonos no necesitan cables para funcionar.

Más tecnología

Si hubieras nacido en 1850, tu casa no habría tenido electricidad. La luz habría venido de lámparas de aceite y velas. Thomas Edison inventó un nuevo tipo de foco en 1880. Poco después, muchas personas tuvieron electricidad en su hogar. Hoy en día los televisores, los refrigeradores y las computadoras necesitan electricidad para funcionar.

Thomas Edison también inventó el tocadiscos. Los CD, o discos compactos, se crearon después. Hoy las personas pueden escuchar música en sus computadoras y en sus teléfonos celulares.

3. **Subraya** inventos que usas hoy día.

La ciencia ayuda a satisfacer necesidades

Los científicos desarrollan ideas para crear la tecnología que usamos a diario y luego las ponen a prueba. La ciencia ha cambiado hasta el modo en que las personas satisfacen sus necesidades diarias.

Podemos cultivar más alimentos gracias a la ciencia. Ahora sabemos cómo mantener alejados a los insectos que comen nuestros cultivos. También podemos mantener los alimentos frescos por más tiempo congelándolos y enlatándolos. La ropa nos ayuda a estar protegidos gracias a nuevos materiales livianos y resistentes. Algunas telas son impermeables o ignífugas, es decir, a prueba de fuego. La ciencia hasta ha mejorado el jabón para lavar. Ahora la ropa queda más limpia. También cambiaron nuestras casas. Tenemos nuevos materiales que protegen mejor las casas del clima extremo y de los incendios. También usamos menos energía en nuestra casa. La razón son los nuevos tipos de iluminación, calefacción y refrigeración.

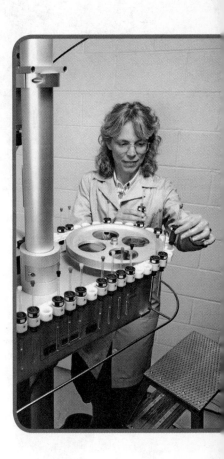

La ciencia también nos ha vuelto más saludables. Ahora tenemos medicamentos que nos protegen de las enfermedades y nos curan si nos enfermamos. Los médicos tienen nuevas herramientas. Pueden usar rayos láser en las cirugías y rayos X para ver los huesos rotos. La ciencia también nos ha enseñado más acerca de nuestro cuerpo.

4. **Encierra** en un círculo las maneras en que la ciencia ha cambiado cómo las personas satisfacen sus necesidades básicas.

Las bicicletas modernas están hechas para ir más rápido.

Los niños pueden leer libros en una tableta.

La ciencia satisface otras necesidades

También puedes ver la ciencia en funcionamiento en el modo en que jugamos, viajamos y nos comunicamos. La ciencia ha creado mejores equipamientos deportivos. Las bicicletas son más livianas y van más rápido. Los bates golpean mejor las pelotas. Nuevos tipos de zapatos nos ayudan a correr más rápidamente. La ciencia también ha cambiado el modo en que miramos la televisión y leemos libros. Ahora los televisores son planos y delgados. Se pueden almacenar cientos de libros en una pequeña tableta.

Algunos trenes hoy viajan sobre un almohadón de aire creado por imanes. No necesitan vías de acero ni ruedas. Ni siquiera un motor. Algunos carros nuevos ya no usan gasolina. Funcionan con electricidad. Es posible que los carros puedan manejarse solos pronto. También han cambiado las comunicaciones. Podemos ver a las personas y hablar con ellas en los teléfonos y las computadoras. La ciencia y la tecnología seguirán cambiando. Nadie puede decir cómo cambiarán nuestra vida en el futuro.

5. **Escribe** cómo la ciencia ha cambiado la recreación.

6. **Identifica** un invento que uses y **describe**
cómo te ayuda a satisfacer tus necesidades.

_____

_____

_____

¿Entiendes?

TEKS 4.B, 17.A, 17.B

7. **Hechos y opiniones** ¿Este enunciado es un hecho o una
opinión? _El teléfono es el mejor invento._ ¿Qué palabra es una clave?

_____

_____

_____

8. **Escribe** una forma en la que la tecnología   **mi** Historia: Ideas
y la ciencia han cambiado las comunicaciones
a lo largo del tiempo.

_____

_____

_____

_____

_____

_____

9. **Escribe** el nombre de dos personas que cambiaron los medios de
transporte y una manera en que la ciencia cambió el transporte.

_____

_____

_____

_____

Hechos y opiniones

Un hecho es algo que puedes comprobar que es verdadero. Una opinión es lo que alguien piensa o cree. Las oraciones se pueden categorizar, o agrupar, en enunciados de hechos o de opiniones.

Lee el párrafo acerca de Paul Revere.

Paul Revere

Muchos creen que Paul Revere fue el héroe más importante de la Guerra de Independencia. En la noche del 18 de abril de 1775, se encendieron dos faroles en la torre de la iglesia North Church. Era la señal de que los británicos estaban llegando por mar. Paul Revere viajó desde Boston hasta Lexington y, en su camino, alertó a las comunidades locales para que pudieran enfrentar a los británicos. Este acontecimiento influenció la historia.

La oración *Muchos creen que Paul Revere fue el héroe más importante de la Guerra de Independencia* es una opinión. Las palabras como *creer, opinar* y *pensar* te dicen que un enunciado es una opinión. Las otras oraciones del párrafo son hechos que pueden comprobarse.

TEKS

ES 4.C Explicar como las personas han influenciado la historia de la comunidad local.

ES 13.B Identificar personajes históricos tales como Paul Revere, quienes han sido un ejemplo de buena ciudadanía.

ES 13.C Identificar otros ciudadanos que han sido ejemplo de buena ciudadanía.

ES 18.D Categorizar la información.

SLA 14.B Localizar los hechos que están claramente especificados en el texto.

 ¡Inténtalo!

1. **Escribe** un hecho sobre cómo Paul Revere influenció la historia.

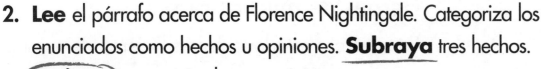

2. **Lee** el párrafo acerca de Florence Nightingale. Categoriza los enunciados como hechos u opiniones. **Subraya** tres hechos. **Encierra** en un círculo tres opiniones.

Florence Nightingale

Florence Nightingale fue una enfermera líder. Ayudó a cuidar a los soldados durante una guerra. Compraba los materiales necesarios. Trabajaba día y noche. Era muy amable. Después de la guerra, creó la primera escuela para enfermeras. Otras enfermeras pensaban que ella era la mejor maestra. Escribió el primer libro de texto para enfermeras. Siempre la recordaremos por su trabajo y por ser buena ciudadana.

PEARSON realize Conéctate en línea a tu lección digital interactiva.

207

Los héroes estadounidenses

¡Imagínalo!

Mira las fotos.

TEKS
1.B, 4.A, 4.B, 13.B, 13.C

Un héroe es una persona que marca la diferencia en la vida de los demás.

Héroes de muchas clases

Estos héroes estadounidenses hicieron de nuestro país un mejor lugar para vivir.

John Adams

Adams fue uno de los Padres Fundadores y el segundo presidente de nuestro país. Ayudó a los colonos norteamericanos a obtener la independencia.

Benjamin Franklin

Franklin fue uno de los Padres Fundadores y un gran inventor. Creó la primera biblioteca pública de los Estados Unidos.

Dolley Madison

Madison fue la esposa de nuestro cuarto presidente, James Madison. Ayudó a convertir la Casa Blanca en un símbolo de los Estados Unidos.

DESCIFRA LA PREGUNTA PRINCIPAL

Aprenderé acerca de las personas que marcan la diferencia en la vida de los demás.

Vocabulario
....

derechos civiles
innovador

Escribe cómo estas personas ayudan a los demás.

Los héroes marcan la diferencia

Algunos héroes defienden a nuestro país y nuestra libertad. Otros defienden los derechos de las personas. Esos derechos son nuestros **derechos civiles.**

Sojourner Truth

W.E.B. Du Bois

George Washington Carver

Sojourner Truth dio muchos discursos en todo el país para defender los derechos de los afroamericanos y de la mujer.

W.E.B. Du Bois fue un escritor y activista de los derechos civiles para los afroamericanos y uno de los fundadores de la Asociación Nacional para el Progreso de la Gente de Color (NAACP).

George Washington Carver fue un científico e inventor que enseñó a los granjeros del Sur a rotar los cultivos para enriquecer el suelo.

PEARSON realize Conéctate en línea a tu lección digital interactiva.

209

Algunos héroes tienen nuevas ideas que mejoran nuestra vida. Son **innovadores.** Otros héroes muestran individualismo. Ellos dan grandes pasos para cambiar la manera en que pensamos acerca de nuestro mundo.

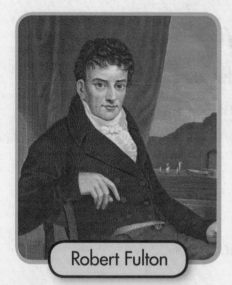

Robert Fulton

Fulton construyó un barco de vapor con motor que podía llevar personas y bienes con más rapidez que los otros barcos.

Sequoyah

Sequoyah inventó un alfabeto para la lengua cheroquí. El alfabeto ayudó a los cheroquíes a aprender a leer y escribir.

Irma Rangel

Irma Rangel fue la primera mujer hispana en el cuerpo legislativo de Texas. Apoyó políticas en favor de las mujeres, los niños y las minorías.

Amelia Earhart

Earhart fue la primera mujer en volar sola por el océano Atlántico. Creía en los derechos de la mujer.

Thurgood Marshall

Marshall fue el primer juez afroamericano de la Corte Suprema. También luchó por los derechos civiles.

WASPs

Las Pilotos al Servicio de la Fuerza Aérea (WASPs) pilotearon aviones militares durante la Segunda Guerra Mundial. Tenían su base en Houston, Texas.

1. ◉ **Idea principal y detalles** **Escribe** sobre cómo Sojourner Truth ayudó a otros.

_____

- -

_____

- -

_____

¿Entiendes?

TEKS 4.A, 4.B, 13.B, 13.C

2. ◉ **Hechos y opiniones** **Escribe** tu opinión acerca de uno de los héroes estadounidenses sobre los que leíste.

_____

- -

_____

3. ❓ **Piensa** en cómo era la vida para W.E.B. Du Bois, Irma Rangel y otros sobre los que leíste. **Escribe** una manera en que la vida actual se diferencia de la vida del pasado.

mi Historia: Ideas

_____

- -

_____

- -

_____

4. En una hoja aparte, **identifica** tres héroes de esta lección que mostraron individualismo. **Escribe** una oración en la que describas una contribución de cada uno de ellos.

PEARSON realize · · · · Conéctate en línea a tu lección digital interactiva.

211

Lección 1 TEKS 2.A, 2.B, 7.D

1. **Escribe** una razón por la que las comunidades cambian a lo largo del tiempo.

_____

_____

_____

_____

Lección 2 TEKS 3.A

2. **Encierra** en un círculo las fuentes primarias u originales sobre los comienzos de los Estados Unidos.

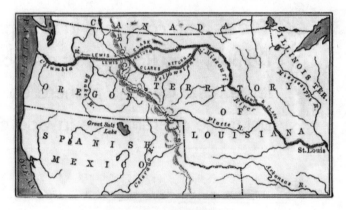

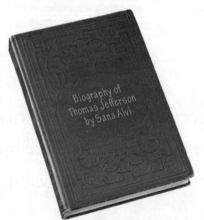

TEKS 7.C

3. **Completa** el espacio en blanco.

Los indígenas norteamericanos usaban _____

para obtener comida y para la ropa y las viviendas.

Lección 4 TEKS 4.C, 13.B, 13.C

4. **Escribe** cómo John y Abigail Adams influenciaron su comunidad local.

Lección 5 TEKS 4.C

5. **Completa** la oración. **Encierra** en un círculo la mejor respuesta.

Los inmigrantes son

A las primeras personas que se establecen y construyen hogares en un lugar nuevo.

B personas gobernadas por otro país.

C personas que se mudan de un país a otro para empezar una nueva vida.

Lección 6 — TEKS 17.A, 17.B

6. Escribe cómo cada invento cambió la vida de las personas.

teléfono: _____

avión: _____

Lección 7 — TEKS 4.A, 4.B, 13.B

7. ◉ **Hechos y opiniones Lee** cada enunciado.
Escribe *O* si es una opinión y *H* si es un hecho.

____ Amelia Earhart voló sola sobre el Atlántico.

____ Sojourner Truth fue la persona que más luchó por los derechos civiles.

____ Las WASPs fueron pilotos valientes de la Segunda Guerra Mundial.

____ Robert Fulton construyó un barco de vapor con motor.

8. Completa el espacio en blanco.

Thurgood Marshall influenció la historia de la nación al ser nombrado

_____

_____

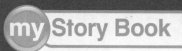

PREGUNTA PRINCIPAL

¿Cómo cambia la vida a lo largo de la historia?

Conéctate en línea para escribir e ilustrar tu **myStory Book** usando **miHistoria: Ideas** de este capítulo.

TEKS
ES 1.A, 19.B
SLA 17

En este capítulo aprendiste sobre la historia de las personas, los lugares y los sucesos del pasado. Aprendiste que algunas personas no eran libres y que otras tuvieron que luchar por su libertad.

Piensa en las libertades que tienes cada día. **Haz un dibujo** que muestre qué quiere decir la libertad para ti. **Escribe** una leyenda para tu ilustración.

PEARSON **realize** Conéctate en línea a tu lección digital interactiva.

215

Atlas

Estados Unidos de América: Mapa político

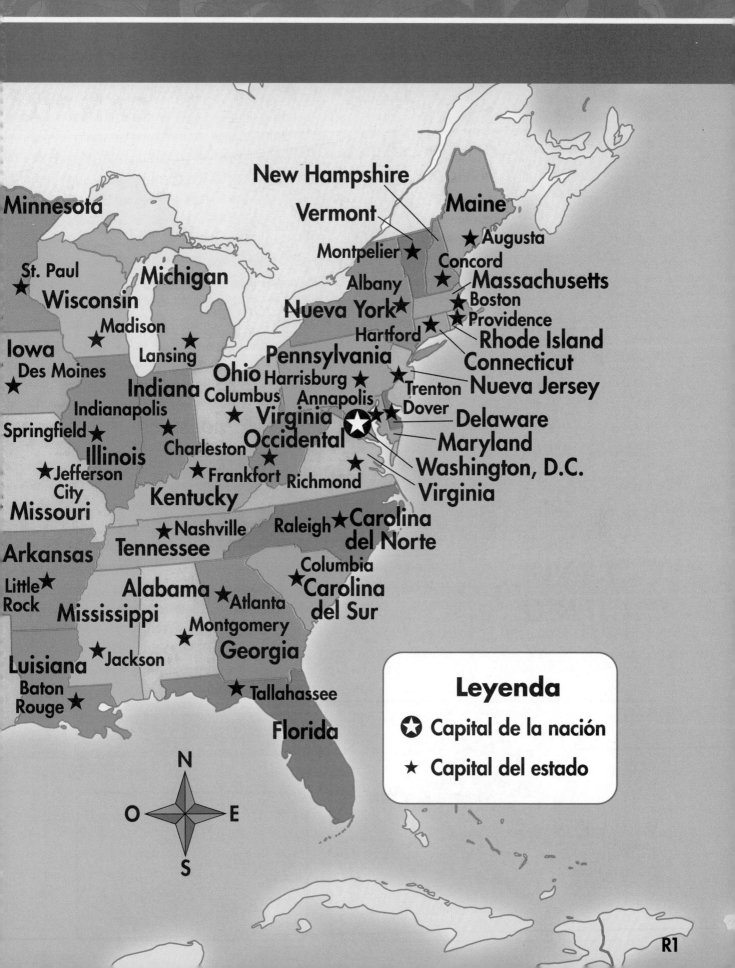

Minnesota

St. Paul

Wisconsin

Madison

Iowa

Des Moines

Michigan

Lansing

Illinois

Springfield

Jefferson
City

Missouri

Indiana

Indianapolis

Ohio

Columbus

Kentucky

Frankfort

New Hampshire

Vermont

Montpelier

Albany

Nueva York

Hartford

Pennsylvania

Harrisburg

Annapolis

Virginia
Occidental

Charleston

Richmond

Maine

Augusta

Concord

Massachusetts

Boston

Providence

Rhode Island

Connecticut

Nueva Jersey

Trenton

Dover

Delaware

Maryland

Washington, D.C.

Virginia

Arkansas

Little
Rock

Mississippi

Luisiana

Baton
Rouge

Alabama

Jackson

Atlanta

Montgomery

Georgia

Tallahassee

Florida

Nashville

Tennessee

Raleigh

Carolina
del Norte

Columbia

Carolina
del Sur

N

O   E

S

Leyenda

✪ Capital de la nación

★ Capital del estado

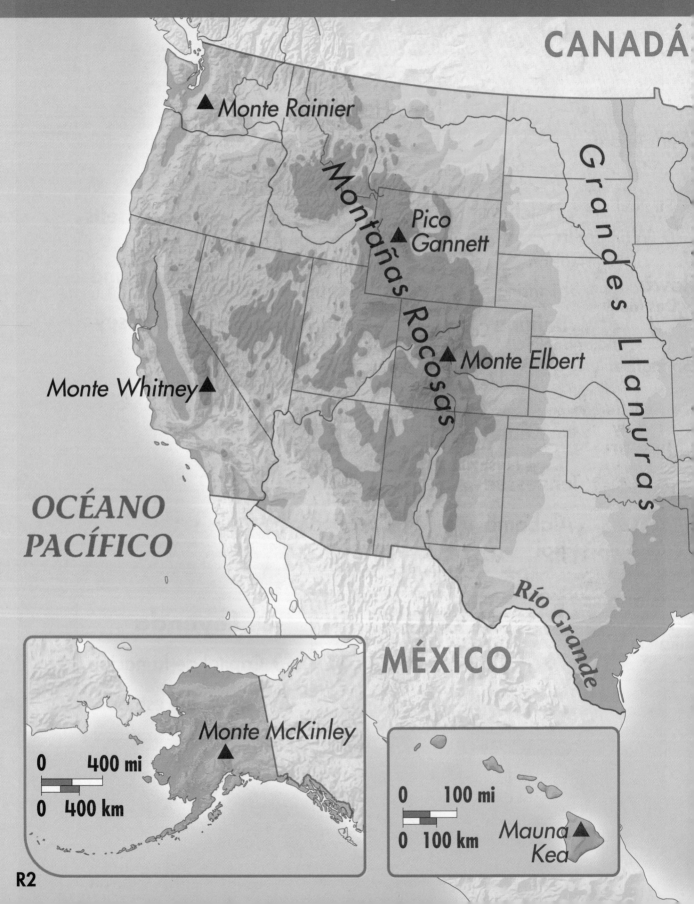

CANADÁ

▲ Monte Rainier

Pico Gannett ▲

Montañas Rocosas

Grandes Llanuras

Monte Whitney ▲

▲ Monte Elbert

OCÉANO PACÍFICO

Río Grande

MÉXICO

▲ Monte McKinley

0   400 mi

0   400 km

0   100 mi

0   100 km

Mauna Kea ▲

0   400 mi

0   400 km

Grandes
Lagos

Montes Apalaches

N
O   E
S

OCÉANO
ATLÁNTICO

Golfo de México

Leyenda
Altitud

Pies	Metros
10,000	3,048
6,000	1,829
3,000	914
1,000	305
500	152
0	0

▲ Pico

ÉANO GLACIAL ÁRTICO

ROPA

ÁFRICA

ASIA

OCÉANO
PACÍFICO

OCÉANO
ÍNDICO

AUSTRALIA

0   2,000 mi

0   2,000 km

CÉANO GLACIAL ANTÁRTICO

TÁRTIDA

Glosario

A

accidente geográfico Forma de la superficie de la Tierra. Una montaña es un **accidente geográfico** grande. SUSTANTIVO

ahorrar Guardar tu dinero para usarlo después. Kate va a **ahorrar** su dinero para comprar una bicicleta. VERBO

ahorros Dinero que no se gasta de inmediato. En cuatro semanas, Yoshi va a usar sus **ahorros** para comprar un juego. SUSTANTIVO

alcalde Líder del gobierno de un pueblo o una ciudad. El **alcalde** habló durante la junta municipal. SUSTANTIVO

antiguo De hace mucho tiempo. Un juguete **antiguo** de madera tallada es obra de alguien que vivió hace mucho tiempo. ADJETIVO

artefacto Objeto creado hace mucho tiempo. Este **artefacto** es un buen ejemplo de cerámica de los indígenas pueblo. SUSTANTIVO

B

beneficio Buen resultado de una opción que escogiste. Un **beneficio** de comer comida sana es tener un cuerpo sano. SUSTANTIVO

bienes Cosas que las personas hacen o cultivan. Muchos tipos de **bienes** se venden en tiendas. SUSTANTIVO

biografía Libro acerca de la vida de una persona. Jill leyó una **biografía** sobre Thomas Jefferson. SUSTANTIVO

C

ciudadano Miembro de una comunidad, un estado y un país (o nación). Yo soy **ciudadano** de los Estados Unidos. SUSTANTIVO

clima Tiempo que hace en un lugar durante un período largo. En la Florida, el **clima** es caluroso y húmedo. SUSTANTIVO

colonia Lugar gobernado por un país lejano. Cada **colonia** de América del Norte estaba gobernada por Inglaterra antes de ganar su independencia. SUSTANTIVO

colono Persona que construye su hogar en un nuevo territorio. Los **colonos** europeos establecieron la plantación de Plymouth. SUSTANTIVO

comerciar Comprar, vender o intercambiar bienes o servicios con otra persona. La gente puede usar dinero para **comerciar** y obtener cosas que necesita. VERBO

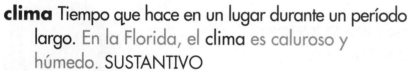

comunicación Forma en que las personas comparten ideas, pensamientos e información. El teléfono se usa para la **comunicación**. SUSTANTIVO

comunidad Lugar donde las personas trabajan, viven y juegan juntas. Nosotros vivimos en una comunidad. SUSTANTIVO

concejo Grupo de personas elegidas por los ciudadanos para tomar decisiones o aconsejar al líder de una comunidad. El **concejo** municipal decidió construir una escuela nueva. SUSTANTIVO

Congreso Parte del gobierno que redacta las leyes y vota para aprobarlas. El **Congreso** aprobó una ley. SUSTANTIVO

consecuencia Algo que ocurre como resultado de una acción. Cuando Kayla no hizo su tarea, la **consecuencia** fue que perdió el recreo. SUSTANTIVO

conservar Proteger los recursos que usamos. Necesitamos **conservar** los recursos para nuestro futuro. VERBO

consumidor Persona que compra y usa bienes. Un **consumidor** puede comprar bienes en una tienda. SUSTANTIVO

continente Una de las siete áreas de tierra más grandes del planeta Tierra. Asia es uno de los continentes de la Tierra. SUSTANTIVO

corte Parte de nuestro gobierno donde se decide si alguien violó, o no siguió, una ley. El juez de la corte decidió que la mujer no había violado la ley. SUSTANTIVO

Corte Suprema Corte más importante de nuestro país. La Corte Suprema decidió que la ley no era justa. SUSTANTIVO

costa El lugar donde la tierra se junta con el mar o el océano. Vivo en Texas, cerca de la costa del Golfo, solo a unas millas de la playa. SUSTANTIVO

costo Precio de algo. El costo del juguete es cinco dólares. SUSTANTIVO

costumbre Manera especial en la que un grupo hace algo. Ir a un desfile es una costumbre que se practica en el Año Nuevo Chino. SUSTANTIVO

cuento exagerado Historia que, al principio, parece verdadera, pero que es casi toda ficción. La historia de John Henry es un cuento exagerado famoso. SUSTANTIVO

cuento folklórico Historia vieja que, al principio, se contaba en voz alta. Johnny Appleseed es un famoso **cuento folklórico** que cuentan muchas personas. SUSTANTIVO

cultura Modo de vida. En los Estados Unidos, es parte de nuestra **cultura** celebrar el Día de Acción de Gracias. SUSTANTIVO

D

demanda Cantidad de algo que quiere la gente. La **demanda** de computadoras nuevas es alta. SUSTANTIVO

derecho Algo que las personas pueden hacer libremente. Los ciudadanos tienen el **derecho** de votar. SUSTANTIVO

derechos civiles Derechos de las personas. César Chávez fue un héroe de los **derechos civiles**. SUSTANTIVO

deseos Cosas que nos gustaría tener, pero que no necesitamos para vivir. Los juguetes y las bicicletas son **deseos**. SUSTANTIVO

destreza Capacidad de hacer algo bien. Aprender a leer es una **destreza** importante. SUSTANTIVO

día festivo Día especial. El Día de Acción de Gracias es un **día festivo** en el cual las familias de los Estados Unidos tienen una gran cena. SUSTANTIVO

diario Registro de los pensamientos y sucesos de todos los días de la vida de una persona. Lewis y Clark escribieron un **diario** mientras exploraban el Oeste. SUSTANTIVO

E

ecuador Línea imaginaria que divide la Tierra por la mitad. El **ecuador** divide la Tierra en los hemisferios norte y sur. SUSTANTIVO

enmienda Cambio a un documento. La Constitución de los Estados Unidos tiene 27 **enmiendas**. SUSTANTIVO

escaso Cuando no hay suficiente cantidad de algo. Cuando los recursos son **escasos**, tenemos que tomar decisiones y escoger. ADJETIVO

especializarse Hacer muy bien un tipo de cosa. Algunos maestros deciden **especializarse** en la enseñanza de música. VERBO

establecerse Vivir en un lugar o área. Las personas escogen **establecerse** en diferentes lugares. VERBO

explorador Primera persona que viaja a un lugar nuevo. Lewis y Clark fueron **exploradores**. SUSTANTIVO

 F

festival Celebración. Vamos a comer comida deliciosa en el **festival** del Cinco de Mayo. SUSTANTIVO

ficción Partes imaginarias de una historia. La historia de Paul Bunyan es **ficción**. SUSTANTIVO

fuente primaria Material escrito o hecho por alguien que vio cómo ocurrió un suceso. Una foto de un suceso es una **fuente primaria**. SUSTANTIVO

fuente secundaria Material escrito o hecho por alguien que no vio cómo ocurrió un suceso. Una enciclopedia es una **fuente secundaria**. SUSTANTIVO

G

generación Grupo de personas que tienen aproximadamente la misma edad. Los hijos, los padres y los abuelos pertenecen a tres generaciones distintas. SUSTANTIVO

geografía Estudio de la Tierra. Jim mira mapas y globos terráqueos en su clase de **geografía**. SUSTANTIVO

globo terráqueo Un modelo, o copia pequeña, de la Tierra. Encontramos la ubicación de Texas en el **globo terráqueo** de nuestro salón de clase. SUSTANTIVO

gobernador Líder de un estado. Los ciudadanos de Texas votaron un nuevo **gobernador** del estado. SUSTANTIVO

gobierno Grupo de personas que trabajan juntas para dirigir una ciudad, un estado o un país (o nación). El **gobierno** de los Estados Unidos hace leyes. SUSTANTIVO

H

hacer un trueque Comerciar bienes o servicios sin usar dinero. La gente puede **hacer un trueque** para conseguir lo que necesita. VERBO

hecho Parte verdadera de una historia. Es un hecho que George Washington fue nuestro primer presidente. SUSTANTIVO

herencia Algo que se transmite a través de las familias, incluidas las tradiciones culturales. Los tacos son una comida que es parte de la herencia cultural de mi familia. SUSTANTIVO

héroe Alguien que es recordado por su valentía o buenas obras. Un bombero que salva vidas es un héroe. SUSTANTIVO

himno Canción patriótica. El himno nacional de los Estados Unidos se llama *"The Star Spangled Banner"*. SUSTANTIVO

historia Lo que ocurrió en el pasado. La historia de una comunidad cuenta cómo fue cambiando esa comunidad con el correr del tiempo. SUSTANTIVO

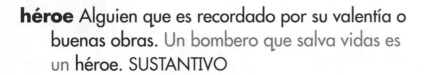

I

idioma Palabras habladas y escritas que usamos para comunicar ideas y sentimientos. Muchas personas hablan el idioma inglés en los Estados Unidos. SUSTANTIVO

impuesto Dinero de los ciudadanos que cobra el gobierno. Los impuestos se usan para pagar la construcción de escuelas. SUSTANTIVO

independencia Libertad de gobernarse a uno mismo. Los Estados Unidos ganaron su independencia de Inglaterra. SUSTANTIVO

indígenas norteamericanos Primeros habitantes de Norteamérica, también llamados indios norteamericanos. Muchos indígenas norteamericanos se vieron obligados a abandonar sus tierras cuando los pioneros fueron a vivir al Oeste. SUSTANTIVO

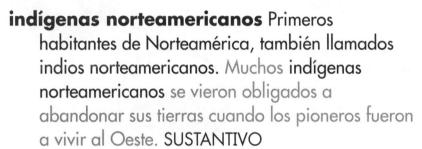

inmigrante Persona que se muda de un país a otro. El abuelo de Ann fue un inmigrante que vino a los Estados Unidos. SUSTANTIVO

innovador Persona que tiene una nueva idea que mejora nuestra vida. Robert Fulton fue un innovador que construyó un barco de vapor. SUSTANTIVO

invento Algo que se hace por primera vez. La computadora es un invento que cambió el modo en que vivimos. SUSTANTIVO

L

lema Dicho que representa una idea importante. El Gran Sello de los Estados Unidos tiene un **lema**. SUSTANTIVO

ley Regla que todos debemos seguir. En muchos estados, es **ley** que la gente use cinturón de seguridad al andar en carro. SUSTANTIVO

libertad Derecho de un ciudadano de escoger qué hacer y qué decir. Los ciudadanos tienen la **libertad** de hacerse oír cuando tienen algo importante para decir. SUSTANTIVO

M

mapa Una imagen plana que muestra información sobre un área, como caminos, agua, ciudades y países. Comprobemos en el **mapa** cuál es la mejor ruta para ir a San Antonio. SUSTANTIVO

mapa de cuadrícula Mapa que tiene líneas que se cruzan y forman cuadrados que muestran la ubicación de un lugar. El **mapa de cuadrícula** nos ayudó a encontrar la ubicación del edificio del Capitolio. SUSTANTIVO

mapa físico Mapa que muestra el agua y la tierra del planeta Tierra. Anya encontró las Montañas Rocosas en un **mapa físico** de los Estados Unidos. SUSTANTIVO

mapa político Mapa que muestra la ubicación de lugares con líneas imaginarias llamadas fronteras. En un **mapa político** de los Estados Unidos se ven los límites entre estados. SUSTANTIVO

medio ambiente El aire, la tierra, el agua y los seres vivos de un lugar. Una ciudad es un **medio ambiente** urbano. SUSTANTIVO

medio de transporte Forma de desplazar personas o bienes de un lugar a otro. Un carro es un **medio de transporte**. SUSTANTIVO

monumento Estatua que se construye en honor a una persona, un acontecimiento o una idea. La Estatua de la Libertad es un **monumento** que honra la libertad de los Estados Unidos. SUSTANTIVO

N

necesidades Cosas que debemos tener para vivir. La alimentación, el agua y el aire son **necesidades**. SUSTANTIVO

no renovable Que no puede reemplazarse. El carbón es un recurso **no renovable**. ADJETIVO

O

océano Una de las cuatro masas de agua más grandes de la Tierra. El **océano** Atlántico está al este de los Estados Unidos. SUSTANTIVO

oferta Cantidad que hay de algo. Boston tiene una gran **oferta** de pescado. SUSTANTIVO

P

patriótico Que muestra amor y apoyo por su comunidad, estado o país. La bandera del estado de Texas es un símbolo **patriótico**. ADJETIVO

pedir prestado Usar algo ahora y devolverlo luego. Si Tom no tiene suficiente dinero, puede **pedir prestado**. VERBO

peligros naturales Sucesos naturales que pueden causar daños a las personas, las propiedades o el medio ambiente. Los terremotos, los huracanes y los tornados son **peligros naturales**. SUSTANTIVO

peregrino Persona que estableció una colonia inglesa llamada Plymouth. Los peregrinos no estaban preparados para el tiempo frío de Nueva Inglaterra. SUSTANTIVO

pionero Primera persona que se establece en un lugar. Cuando el este de los Estados Unidos se llenó de gente, comenzaron a ir pioneros a poblar el Oeste. SUSTANTIVO

préstamo Dinero que alguien pide prestado. Él va a necesitar un préstamo para comprar una casa. SUSTANTIVO

primer meridiano Línea imaginaria que divide la Tierra por la mitad. El primer meridiano divide la Tierra en los hemisferios oriental y occidental. SUSTANTIVO

productor Persona que hace o cultiva bienes. Un granjero es un productor. SUSTANTIVO

punto cardinal Una de las cuatro direcciones principales de la Tierra. El norte es uno de los cuatro puntos cardinales. SUSTANTIVO

punto cardinal intermedio Una de las cuatro direcciones entre los puntos cardinales. El noroeste es uno de los cuatro puntos cardinales intermedios. SUSTANTIVO

R

recurso Algo útil. El agua es un recurso.
SUSTANTIVO

recurso natural Algo que existe en la naturaleza
y que está listo para usarse. Los árboles son un
recurso natural. SUSTANTIVO

región Área que tiene características en común. La
región de las Grandes Llanuras de los Estados
Unidos tiene tierras planas. SUSTANTIVO

renovable Que puede reemplazarse. El viento es
un recurso renovable. ADJETIVO

respeto Consideración por las otras personas. Los
buenos ciudadanos muestran respeto por otros.
SUSTANTIVO

responsable Que cuida las cosas importantes.
Un ciudadano responsable ayuda a limpiar su
comunidad. ADJETIVO

ruinas Construcciones donde vivió la gente hace
muchos años. Mucha gente visita las ruinas
aztecas que están en México. SUSTANTIVO

rural Que tiene pequeños pueblos y granjas. Carolyn vive en una granja, en una zona **rural**. ADJETIVO

S

salario Dinero que ganan las personas. Los productores venden bienes para obtener un **salario**. SUSTANTIVO

servicio Trabajo que una persona hace por ti. El peluquero da un **servicio** cuando te corta el pelo. SUSTANTIVO

siglo Cien años. Hace aproximadamente un **siglo**, la gente comenzó a usar carros en vez de caballos como medio de transporte. SUSTANTIVO

símbolo 1. Objeto que representa otra cosa. El águila de cabeza blanca es un **símbolo** de los Estados Unidos. SUSTANTIVO 2. Dibujo que representa una cosa real. Ella encontró el **símbolo** de montaña en el mapa. SUSTANTIVO

sitio de interés Estructura importante de un lugar. La Gran Muralla es un famoso **sitio de interés** de la China. SUSTANTIVO

suburbano Que está cerca de una ciudad donde vive gente. Port Washington es una comunidad suburbana que está cerca de la Ciudad de Nueva York. ADJETIVO

T

tecnología Uso de destrezas y herramientas. La tecnología se usa para facilitar el trabajo. SUSTANTIVO

telégrafo Manera de enviar mensajes mediante cables. El telégrafo sirvió para facilitar la comunicación entre las personas. SUSTANTIVO

temperatura Qué tan caliente o frío está algo. La temperatura exterior es de 64 grados. SUSTANTIVO

tiempo o estado del tiempo Cómo está el día en un determinado momento y lugar. Hoy el tiempo está soleado y cálido. SUSTANTIVO

tradición Algo que se transmite a través del tiempo. En la familia de Brian, es tradición preparar una gran cena todos los domingos. SUSTANTIVO

U

ubicación absoluta Punto exacto donde está ubicado un lugar. La dirección de tu casa es una ubicación absoluta. SUSTANTIVO

ubicación relativa Lugar donde se encuentra algo en comparación con otra cosa. "Arriba" es una palabra que indica una ubicación relativa. SUSTANTIVO

urbano Compuesto por una ciudad y los lugares que la rodean. Jean vive en un lugar urbano. ADJETIVO

V

veterano Persona que prestó servicio en las fuerzas armadas. El señor Milton es veterano de la Segunda Guerra Mundial. SUSTANTIVO

votar Algo que uno elige y que se puede contar. Los ciudadanos de los Estados Unidos tienen derecho a votar para elegir al presidente. VERBO

Índice

El índice lista las páginas en las que aparecen los temas en el libro. Los números de página seguidos de *m* indican mapas. Los números de página seguidos de *i* indican imágenes. Los números de página seguidos de *t* indican tablas o gráficas. Los números de página seguidos de *l* indican líneas cronológicas. Los números de página en **negrita** indican definiciones de vocabulario. Los términos *Ver* y *Ver también* indican entradas alternativas para el término.

Reconocimientos

Text Acknowledgments

Grateful acknowledgement is made to the following for copyrighted material:

Page 3
Texas Tech University

"Anthem" from Buck Ramsey's Grass: With Essays on His Life and Work. Copyright (c) 2005 by Texas Tech University Press. Used by permission.

Note: Every effort has been made to locate the copyright owner of material reproduced in this component. Omissions brought to our attention will be corrected in subsequent editions.

Maps

XNR Productions, Inc.

Photographs

Photo locators denoted as follows: Top (T), Center (C), Bottom (B), Left (L), Right (R), Background (Bkgd)

Cover

Front Cover (TL) Sam Houston statue, TobicPhoto/Fotolia; (TR) Palo Duro Canyon State Park, mikenorton/Shutterstock; (CC) Bluebonnet, Randy Heisch/Shutterstock; (CR) McDonald Observatory, Chris Howes/Wild Places Photography Photography/Alamy; (BC) Kemah Boardwalk, Galveston Bay, George Doyle/Stockbyte/Getty Images.
Back Cover (TR) Houston skyline, Jörg Hackemann/Fotolia; (CL) Police officers, Jacky Chapman/Alamy; (CR) Texas cattle ranch, Tom Payne/Alamy; (BC) Boy scouts at Walker Creek Elementary School, North Richland Hills, J Burleson/Alamy.

Text

Front Matter
x: Pearson Education; xi: discpicture/Alamy; xii: NASA/Corbis; xiii: Steve Skjold/Alamy; xiv: Vintage Images/Alamy Images

Celebrate Texas and the Nation
001: INSADCO Photography/Alamy; 001: Lilya Espinosa/Shutterstock; 002: okalinichenko/Fotolia; 002: Yellow Dog Productions/Digital Vision/Getty Images; 004: University of Texas at San Antonio Libraries Special Collections; 005: Architect of the Capitol; 006: John Zellmer/E+/Getty Images; 006: Micah Young/E+/Getty Images; 006: Steve Byland/Fotolia; 007: Gabe Palmer/Alamy; 007: Sherry Moore/Alamy; 008: © 2012 John Rogers; 008: Sally Scott/Shutterstock; 008: State Preservation Board, Austin, Texas; 009: Brandon Seidel/Shutterstock; 009: Kevin Dietsch/UPI/Newscom; Andersen Ross/Blend Images/Corbis

Chapter 01
012: Pearson Education; 016: Purestock/Getty Images; 017: Pearson Education; 018: AP images; 018: Tom Grill/Corbis; 022: Pearson Education; 022: Steve Helber/AP Images; 023: Sean Justice/Corbis; 023: Susan Biddle/The Washington Post/Getty Images; 025: Dmitriy Shironosov/Shutterstock; 026: Leland Bobbé/Corbis; 028: Lev Kropotov/Shutterstock; 028: Stephen Bonk/Shutterstock; 029: White/PhotoLibrary; 031: Robert J. Beyers II/Shutterstock; 036: Wally McNamee/CORBIS; 038: Q-Images/Alamy; 041: Jeff Greenberg/The Image Works; 043: Haraz N. Ghanbari/AP Images; 044: Andersen Ross/Stockbyte/Getty Images; 045: Susan Montgomery/Shutterstock; 046: James Young/DK Images; 046: NA; 047: Racheal Grazias/Shutterstock; Brandon Seidel/Shutterstock; James Nielsen/AP Images; Larry Williams/Corbis; Library of Congress Prints and Photographs Division[LC-USZC4-594]; Michael Moran/DK Images,Ltd; Orhan Çam/Fotolia

Chapter 02
052: Pearson Education; 056: Gemenacom/Shutterstock; 056: Richard Price/Getty Images; 057: Enshpil/Shutterstock; 057: lecic/Fotolia; 057: Tatjana Brila/Shutterstock; 060: Aprilphoto/Shutterstock; 061: DK Images,; 061: Hemera Technologies/PhotoObjects/Thinkstock; 064: Witold Skrypczak/Alamy; 065: Stuart O'Sullivan/The Image Bank/Getty Images; 066: Hans L Bonnevier/Johner Images/Alamy; 067: Martin Heying/vario images GmbH & Co.KG/Alamy; 070: Hill Street Studios/Blend Images/Corbis; 070: Lisa F Young/Shutterstock; 070: Patti McConville/Alamy; 071: JLP/Corbis; 072: Richard Lewisohn/Getty Images; 073: Tetra Images/Getty Images; 076: Bob Jacobson/Corbis; 076: JLP/Corbis; 077: Joshua Roper/Alamy; 079: John Glover/Alamy; 080: discpicture/Alamy; 085: Andersen Ross/Photolibrary; 56: Dhoxax/Shutterstock; 57: bocky/Shutterstock; 60: Elena Schweitzer/Shutterstock; aijohn784/Fotolia; Morgan Lane Photography/Shutterstock

Chapter 03
088: Pearson Education; 094: Hoberman Collection UK/Alamy; 096: Hemera/Thinkstock; 096: istockphoto/Thinkstock; 102: Comstock/Jupiterimages/Thinkstock; 102: NASA/Corbis; 103: Morgan Lane Photograph/Shutterstock; 108: Banana Stock/Photolibrary; 108: Hemera/Thinkstock; 109: Bill Stevenson/PhotoLibrary; 109: iStockphoto/Thinkstock; 112: Masterfile; 112: Paul Tomlins/Flowerphotos/PhotoLibrary; 113: Gavriel Jecan/Danita Delimont/Alamy; 113: Mark Hamblin/Oxford Scientific (OSF)/PhotoLibrary; 113: Rob Casey/Stone/Getty Images; 115: A. T. Willett/Alamy; 116: Carroteater/Shutterstock; 119: Morgan Lane Photography/Shutterstock; 120: Ken Inness/Shutterstock; 120: Patrick Eden/Alamy; 121: Tish1/Shutterstock; 122–123: Joseph Sohm/Visions of America, LLC/Alamy; 123: Mike Theiss/Ultimate Chase/Corbis News/Corbis; 124: Jose Luis Magana/AFP/Getty Images/Newscom; 124: MyShotz.com/Fotolia; 125: Craig Ruttle/Alamy; 128: Anthony Cottrell/

Shutterstock; 128: DK Images; 128: Mary Beth Bueno/Alamy; 128: Richard Drury/Getty Images; 129: Andersen Ross/Getty Images; 129: Blend Images/Alamy; 129: Gorilla/Fotolia; 130: Eye Ubiquitous/SuperStock; 130: Q-Images/Alamy; 131: Mike Flippo/Shutterstock; 132: 3d brained/Shutterstock; 132: Andersen Ross/Blend Images/Corbis; 132: Stockbyte/Thinkstock; 134: Jim Parkin/Alamy; Morgan Lane Photography/Shutterstock

Chapter 04

140: Pearson Education; 144: Kheng Guan Toh,2010/Shutterstock; 144: pilipphoto - Fotolia.com; 144: Yadid Levy/Robert Harding Picture Library/AGE Fotostock; 145: Angelo Cavalli/SuperStock; 146: DK Images; 148: jgi/Blend Images/Corbis; 148: Steve Skjold/Alamy; 150: Judy Bellah/Alamy; 152: DK Images; 152: Official U. S. Marine Corps photo; 152: Peter Cade/Iconica/Getty Images; 154: Ariel Skelley/Blend Images/Photolibrary; 155: Bill Haber/AP Images; 155: Visions of America, LLC/Alamy; 156: The Granger Collection, NYC; 157: Paul Martinka/Polaris/Newscom; 162: chiakto/Shutterstock; 162: Library of Congress Prints and Photographs Division [LC-DIG-ppmsca-35700]; 163: Dmitry Rukhlenko/Shutterstock; 163: granata1111/Shutterstock; 163: Laurie Barr/Shutterstock; 164: ekler/Shutterstock; 164: Tom Stoddart Archive/Getty Images; 165: Tomas Slavicek/Shutterstock; 166: Dmitry Rukhlenko/Shutterstock; 166: Kheng Guan Toh/Shutterstock; 166: pilipphoto - Fotolia.com; 166: Tomas Slavicek/Shutterstock; 168: chiakto/Shutterstock; 168: DK Images; 168: Judy Bellah/Alamy; 168: Steve Skjold/Alamy; 168: pilipphoto - Fotolia.com; 169: Ariel Skelley/Blend Images/PhotoLibrary; 169: Library of Congress Prints and Photographs Division[LC-USZ62-122982]; 169: Visions of America, LLC/Alamy; 170: Alan Bailey/Rubberball/Corbis; 170: Tom Stoddart Archive/Getty Images

Chapter 05

172: Pearson Education; 176: Image Source/Alamy; 176: Jo Foord/Getty Images; 176: MNStudio/Shutterstock; 177: Monkey Business Images/Shutterstock; 179: Witold Skrypczak/Alamy; 180: Austin History Center, Austin Public Library; 181: J Marshall/Tribaleye Images/Alamy; 181: Jim Bennett/Corbis; 182: North Wind Picture Archives/Alamy; 182: University of Texas at San Antonio Libraries Special Collections; 183: Brand X Pictures/Getty Images; 183: JTB Photo/SuperStock; 183: photogl/Shutterstock; 184: Comstock/Thinkstock; 185: iStockphoto/Thinkstock; 185: The Granger Collection, NYC; 186: Pearson Education; 188: Accent Alaska.com/Alamy; 188: Danita Delimont/Alamy; 188: M. Timothy O'Keefe/Alamy; 191: Jerry Willis/AP Images; 194: The Art Archive/Alamy; 196: haveseen/Shutterstock; 196: North Wind Picture Archives/Alamy; 198: Edwin Levick/Getty Images; 199: gracious_tiger/Shutterstock; 200: Peter Byron/Photo Edit; 200: Vintage Images/Alamy; 201: Charles Phelps Cushing/ClassicStock/Alamy; 202: The Granger Collection, NYC; 203: H. Mark Weidman/Alamy; 204: Mar Photographics/Alamy; 204: Wong Sze Fei/

Fotolia; 208: Hermera/Thinkstock; 208: Rick Gomez/Comet/Corbis; 209: AP Images; 209: Library of Congress Prints and Photographs Division[LC-USZ62-16767]; 210: Corbis; 210: Deborah Cannon/AP Images; 210: Lightroom Photos/Alamy; 212: Brand X Pictures/Getty Images; 212: haveseen/Shutterstock.com; 212: North Wind Picture Archives/Alamy; 212: North Wind Picture Archives/Alamy

Glossary

R06: Hemera/Thinkstock; R06: discpicture/Alamy; R06: Dean Pennala/Shutterstock; R06: DK Images; R07: Martin Heying / vario images GmbH & Co.KG/Alamy; R07: Brand X Pictures/Getty Images; R07: Steve Helber/AP Images; R07: Masterfile; R07: JLP/Corbis; R08: Stockbyte/Thinkstock; R08: Wally McNamee/Corbis; R08: Robert J. Beyers II/Shutterstock; R08: Mike Flippo/Shutterstock; R09: scoutingstock/Alamy; R07: Konstantin L/Shutterstock; R09: Bob Jacobson/Corbis; R09: Judy Bellah/Alamy; R10: JGI/Blend Images/Corbis; R10: Alex Mares-Manton/Asia Images/Corbis; R10: Susan Biddle/The Washington Post; R10: Susan Biddle/The Washington Post; R10: Gemenacom/Shutterstock; R10: Jose L. Pelaez/Corbis; R11: Ariel Skelley/Blend Images/Photolibrary/Getty Images; R11: North Wind Picture Archives/Alamy; R11: Morgan Lane Photograph/Shutterstock; R11: INSADCO Photography/Alamy; R11: Pearson Education; R11: Richard Lewisohn/Getty Images; R12: Joseph Sohm/Visions of America, LLC/Alamy; R12: NASA; R12: Steve Skjold/Alamy; R12: Bluford W. Muir/Corbis; R12: photogl/Shutterstock; R13: Monkey Business Images, 2009/Shutterstock; R13: Pearson; R13: Morgan Lane Photograph/Shutterstock; R13: Henri conodul/Photolibrary/Getty Images; R:14 Kheng Guan Toh, 2010/Shutterstock; R14: Hemera/Thinkstock; R14: Vintage Images/Alamy; R14: Yadid Levy/Robert Harding Picture Library/AGE Fotostock; R15: Racheal Grazias/Shutterstock; R15: SuperStock; R15: Edwin Levick/Getty Images; R15: Getty Images; R15: Granger Collection; R16: public domain; R16: White/Photolibrary/Getty Images; R17: Mark Hamblin/Oxford Scientific (OSF)/PhotoLibrary Group Inc./Getty Images; R17: EuroStyle Graphics/Alamy; R17: gracious_tiger/Shutterstock; R17: lecic/Fotolia; R18: Medioimages/Photodisc/Thinkstock; R18: Joshua Roper/Alamy; R18: John Zellmer/E+/Getty Images; R18: Shalom Ormsby/Blend Images/Corbis; R18: Mike Theiss/Ultimate Chase/Corbis News/Corbis; R19: Stuart O'Sullivan/The Image Bank/Getty Images; R20: Milosz Aniol/Shutterstock.com; R20: Morgan Lane Photography/Shutterstock; R20: DK Images; R20: Purestock/Getty Images; R20: Tom Grill/Corbis; R20: Dmitry Rukhlenko/Shutterstock; R21: carroteater/Shutterstock; R21: Witold Skrypczak/Alamy; R21: Yellow Dog Productions Inc/; R21: Underwood & Underwood/Corbis; R21: visuelldesign/Shutterstock; R21: Tomas Slavicek/Shutterstock; R22: 3d brained/Shutterstock; R22: Rob Casey/Getty Images; R22: Paul Chesley/Stone/Getty Images; R23: Ken Inness/Shutterstock; R23: Visions of America, LLC/Alamy; R23: Pearson Education